D0240484

GEEN WEG TERUG

Louise d'Anjou

Geen weg terug

Westfriesland

Eerste druk in deze uitvoering 2007
www.kok.nl

NUR 343
ISBN 978 90 205 2818 3

Copyright © 2007 by 'Westfriesland', Hoorn/Kampen
Omslagillustratie Herry Behrens
Omslagontwerp Van Soelen, Zwaag
Alle rechten voorbehouden. Niets uit deze uitgave mag worden verveelvoudigd, opgeslagen in een geautomatiseerd gegevensbestand, of openbaar gemaakt, in enige vorm of op enige wijze, hetzij elektronisch, mechanisch, door fotokopieën, opnamen, of op enige andere manier, zonder voorafgaande schriftelijke toestemming van de uitgever.

HOOFDSTUK 1

Iris betaalde de taxichauffeur, maar gaf hem geen fooi, aangezien de lomperd geen aanstalten maakte om uit te stappen en het portier voor haar te openen. Na wat gemorrel om het portier open te krijgen stond ze eindelijk op straat. Daarna trok de taxi met onbehoorlijke snelheid op en raakte haar daarbij op een haar na. De woorden die ze hem achterna zond stonden in geen enkel woordenboek beschreven. Ze nam de lift naar haar etage en opende de deur na tot twee maal toe de sleutels te hebben laten vallen. Ze deed de deur op het nachtslot en liet in de hal een spoor na van haar jas, tas, schoenen en sleutels. Op de tast ging ze naar de keuken waar ze voor het aanrecht bleef staan. Haar plan om sterke koffie te maken liet ze bij nader inzien maar varen want ze was al misselijk genoeg. In de badkamer spoelde ze haar mond en spette wat koud water in haar gezicht, ook daar liet ze het licht uit want ze wilde liever niet de confrontatie met haar beeltenis aangaan. Op kousenvoeten liep ze naar de slaapkamer en ontdeed zich van haar kleren die ze op een hoopje naast het bed liet liggen. Toen kroop ze in haar slipje rillend onder haar dekbed waarbij ze de kussens hoog opstapelde om te voorkomen dat de kamer almaar bleef draaien.

Het feestje waar ze naar toe was geweest was wat uitgelopen en ze besefte dat ze die laatste cocktail beter niet had kunnen nemen. Als haar vriendin Pam erbij was geweest was dat ook zeker niet gebeurd. Pam vond dat ze de laatste tijd wat teveel naar feestjes ging en ook teveel genoot van de drankjes die er werden geschonken. Af en toe leek ze op haar oudere zuster Rosie, die kon ook zo betuttelend bezig zijn. Trouwens wat zou Rosie van haar willen? Iedere dag stond ze wel op het antwoordapparaat en steeds met dezelfde vraag of ze een keer samen een dagje Amsterdam konden doen.

Rosie en Iris slenterden over het Leidse Plein en keken welk terras hun voorkeur had. Het was de eerste mooie lentedag en die wilden ze zo goed mogelijk benutten. Bovendien kwam het niet zo heel veel voor dat de zussen een dag met elkaar doorbrachten, het verschil in leeftijd was daar voor een deel debet aan. Ze verschilden niet alleen veel in leeftijd maar ook in uiterlijk. Rosie was een wat mollige vrouw met een grijze krullenbol en lichtblauwe ogen. Haar zus was het tegendeel, lang, slank, grijze ogen en een donkerblond bobkapsel.

„Wat denk je Roos, zullen we hier neerstrijken… in de hoek is nog een tafeltje vrij.” Rosie knikte en liep meteen vastberaden op het enige vrije tafeltje af, je moest snel zijn anders was iemand je voor was haar ervaring. „Wat zullen we bestellen, koffie of iets anders?” vroeg Rosie en hief haar gezicht op naar de zon en stroopte de mouwen van haar trui omhoog.

„Voorlopig wil ik koffie en dan zien we straks wel verder, wil je er wat bij?” Iris legde haar jas en tas op het laatste vrije stoeltje.

Rosie schudde haar hoofd: „Nee alleen koffie.” Na een paar minuten werd de koffie gebracht en het viel Iris op dat haar zus wel erg lang in haar kopje roerde ook al omdat ze geen suiker gebruikte.

„Hé, roer de bodem er niet uit,” ze stootte haar zus zachtjes tegen haar elleboog.

„Oh, sorry… ik was er even niet met mijn gedachten bij,” verontschuldigde Rosie zich.

„Gut, dat was me nog niet opgevallen,” spotte Iris. De toon was gezet, want zo gingen de gesprekken doorgaans, nooit echt hartelijk maar altijd met een wat scherpe ondertoon. En vooral Iris bezondigde zich daaraan. „Ik zat te denken,” begon Rosie opnieuw, „dat het jammer is dat we elkaar zo weinig zien en spreken ook al wonen en werken we in dezelfde stad. We zijn allebei alleenstaand en hebben daar ieder op onze eigen manier soms moeite mee al komen we daar niet altijd voor uit.” Bedachtzaam dronk Rosie haar koffie en laste zo een pauze in om Iris de kans te geven erop te reageren. Dat gebeurde ook prompt. „Wat bedoel je nu eigenlijk… we hebben nooit de deur bij elkaar platgelopen, ook niet toen we nog getrouwd waren,” klonk het wat ongeduldig.

„Nee," zei Rosie zachtzinnig, „maar vroeger hebben we toch een heel goede band gehad."

„Toen jij nog thuis woonde bedoel je. We schelen vijftien jaar Roos en ik moet toegeven, mede omdat je laat trouwde, dat je het leven voor mij een stuk aangenamer hebt gemaakt. Onze moeder was en is een vrolijke flierefluiter en trok zich niet echt veel aan van haar moederlijke plichten. Dat nam jij automatisch van haar over, zowel voor mij als voor Bruno ons kleine broertje. En pa was er meer niet dan wel, dus daar moesten we het evenmin van hebben. Jij trouwde toen je dertig was en ik ging met achttien jaar de deur uit. Gek genoeg heeft Bruno nooit hinder ondervonden van ons vreemde huishouden, maar ja hij lijkt ook het meest op mam. Hij ziet nergens problemen en als ze hem toch onverwacht overvallen wuift hij ze met een onverschillig handgebaar weg, ik begrijp niet hoe Brigit het met hem uithoudt."

„Het is een prima stel Iris, Brigit vangt hem goed op en houdt de boel in evenwicht, en hun kinderen zien er heel gelukkig en tevreden uit, dat zul je toch moeten toegeven. Wat onze ouders betreft… ze hebben het uitstekend naar hun zin in Friesland en zijn de hele zomer met hun bootje weg. Ze genieten samen van het leven en daar is veel voor te zeggen vind ik. Oké, ze waren misschien wat egoïstisch in hun relatie naar elkaar toe maar we hebben geen slecht leven gehad met ruzies en dergelijke."

„Ja hoor Rosie, zo kun je alles wat krom is wel recht breien, maar ik denk er toevallig heel anders over," zei Iris bitter. „Jij kreeg te veel verantwoording op je nek geschoven omdat zij het af lieten weten, en ik begrijp niet dat jij het je allemaal liet aanleunen. Ik vond het maar vreemd dat ma zoveel weg was en pa in de weekenden." Het bleef even stil tussen de zussen die hun leven zo totaal anders hadden ervaren.

„Ik vind het jammer dat wanneer we bij elkaar zijn onze gesprekken altijd dezelfde kant opgaan," zei Rosie ten slotte, „we hebben ieder een deel van ons leven achter ons, ik natuurlijk wat meer dan jij. Maar er is zoveel positiefs geweest en daar hebben we het nooit over."

„Wát positief," sneerde Iris, „jij hebt een gelukkig huwelijk achter de rug en bent nu een aantal jaren weduwe. Ik ben veertig, heb een miserabel huwelijk achter de rug en ben gescheiden, niet echt te vergelijken dus. Maar ik heb geen zin er verder op door te gaan, ik heb honger en wil lunchen." Met een driftig gebaar trok ze de spijskaart naar zich toe waarop Rosie hartelijk in de lach schoot. „Jij verandert ook nooit hè," grinnikte ze."

„Nee moet dat dan?" Rosie gaf er wijselijk geen antwoord op. Iris was altijd al een enfant terrible geweest, ontevreden met het leven in al zijn facetten. Zij had haar verzorgd vanaf haar geboorte en haar op zien groeien, en hoe ze haar best ook had gedaan het was haar niet gelukt een gelukkig mens van haar te maken. Ze was jaloers geweest op haar vrolijke broer en op haar tevreden oudste zuster en daarbij was ze onmogelijk geweest naar haar moeder toe. Een trieste bijkomstigheid was dat ze naar de aandacht van haar vader had gehunkerd maar die was zo gefocust geweest op zijn schijnbaar vrolijke echtgenote dat het hem ten enenmale was ontgaan.

„Maar om op het begin van ons gesprek terug te komen," onderbrak Iris de gedachtegang van haar zuster, „had je een speciale bedoeling met de uitnodiging een dagje samen naar Amsterdam te gaan?"

„Eigenlijk wel," gaf Rosie aarzelend toe, „ik wilde je een voorstel doen. Wijs het niet direct van de hand maar neem de tijd om erover na te denken. We zijn allebei alleen. Ik wil graag een huisje buiten om daar een moestuin en wat kippen te houden, ja lach maar, je weet dat ik dat altijd heb gewild. Maar omdat de job van Daaf vereiste dat we in Den Haag gingen wonen ging die droom de mist in al heb ik er nooit spijt van gehad hoor! Jij bent na je scheiding in een appartement terechtgekomen waar je je nooit thuis hebt gevoeld. Het is een schreeuwend duur tweekamerappartement. Ik weet dat jij je ook het beste voelt als je in de natuur bent. Het was wel een groot voordeel dat we onze jeugd buiten hebben kunnen doorbrengen, we zijn nog steeds geen van beiden stadsmensen. En hier komt het... als we nu eens samen een huis kopen net buiten

Den Haag... we hebben gezelschap aan elkaar en kunnen toch ieder ons eigen leven leiden. Je weet, ik werk drie dagen als voedingsconsulente en neem dan een deel van het huishoudelijk gebeuren op me, bijvoorbeeld de maaltijden. Ik kan me verder wijden aan mijn hobby, de tuin. Jij vertelde me dat je je vaak eenzaam voelt en dat overkomt mij natuurlijk ook regelmatig, en op die manier lossen we dat voor een deel op."

Iris had met open mond zitten luisteren en keek haar zuster met grote verbaasde ogen aan. „Is het je in je bol geslagen Roos, wat een absurd voorstel dat kun je echt niet menen." Ze nam een hap van haar kipsalade en verslikte zich prompt. Bedaard klopte Rosie haar op haar rug: „Het is me ernst liefje. Nogmaals veeg het niet direct van de tafel. We hebben in de voorafgaande jaren weinig contact gehad en het lijkt me een goede zaak om elkaar beter te leren kennen en de draad weer op te pakken. Natuurlijk zitten er aardig wat haken en ogen aan maar daar is over te praten."

„Oh toch wel, nou dat valt dan alweer mee, ik begrijp werkelijk niet hoe je op zo'n belachelijk idee bent gekomen. We zouden elkaar binnen de kortst mogelijke tijd de tent uitvechten; Roos wordt wakker alsjeblieft. Als Bruno dit hoort lacht hij zich slap," zei ze er toen grijnzend achteraan. „Bruno weet ervan," verklaarde Rosie, niet in het minst uit het veld geslagen door alle tegenwerpingen van Iris.

„Oh dat is fraai, het gaat om mij en je bespreekt het eerst met een ander," verontwaardigd duwde Iris haar bord naar het midden van de tafel en stootte daarbij haar glas om dat gelukkig leeg was.

„Ik moest weten of het plan levensvatbaar was voor ik er met jou over sprak. Bruno vond het overigens geen slecht plan."

„Wat weet ons kleine broertje daar nou vanaf, met hem heb ik nooit veel contact gehad. Weet je, zeg maar tegen hem dat het plan ten dode is opgeschreven, en nu wil ik naar huis want ik heb om acht uur een afspraak met Pam."

Pam was haar vriendin en woonde bij haar in de buurt. Zwijgend namen ze hun pakjes van de stoel, en Rosie rekende binnen aan de kassa hun lunch af. Op weg naar de trein praatten ze wat over hun werk en zetten dat tijdens de reis naar huis voort. Iris moest er bij Hollandse Spoor uit en Rosie reed verder naar Den Haag centraal. Met een onbevredigd gevoel stapte Iris haar flat binnen. Het voorstel van Rosie had haar in verwarring gebracht en verwarring was het laatste waar ze behoefte aan had. Stabiliteit en veiligheid waren haar voornaamste levensbehoeften en daar ontbrak het nog steeds aan. Ze was nu vier jaar gescheiden en ook al had ze zelf de aanzet eraan gegeven, dat wilde nog niet zeggen dat ze nu gelukkiger was. Vrij, ja dat wel en daar was ze blij mee, ze had zich opgesloten gevoeld in haar huwelijk, een keurslijf waar ze niet aan had kunnen ontsnappen. Stef was een man van regels en regelmaat. Alles was gepland en zijn agenda was als een bijbel voor hem geweest, ze werd er af en toe wanhopig van. In het begin van hun relatie had ze het als heel prettig ervaren, ze hield ervan verwend te worden en ze vond het geweldig dat alles voor haar werd geregeld. Maar eenmaal getrouwd veranderde er het een en ander. Stef zette zijn egoïstisch leventje voort van clubs en stappen met vrienden, maar o wee als zij hetzelfde deed dan was het huis te klein. Iris zette evenwel door en dat had als gevolg dat ze de laatste jaren als vreemden naast elkaar leefden. Ze gingen samen naar recepties en dergelijke, en ze was een prima gastvrouw voor de zakenrelaties van Stef maar daar hield het verder mee op. Dat sudderde zo door totdat ze erachter kwam dat hij er al tijden een vriendin op na hield. Ze had het kunnen weten want hij was de laatste tijd een stuk beminnelijker en aardiger voor haar geweest. En naïef als ze was had ze dat als een opleving van hun huwelijk gezien.

Nadat ze hen samen in de stad had gezien en hij had toegegeven dat hij een relatie had waren bij Iris de stoppen doorgeslagen en een ordinaire schreeuwpartij was het resultaat ervan geweest. Hooghartig had hij haar te kennen gegeven dat hij zich in haar had vergist en ze niet de juiste partner voor hem was geweest. Alleen al zijn geaffecteerde toon en taalgebruik had haar misselijk gemaakt en dat gooide ze hem ook voor zijn voeten. Je bent niet van deze tijd stomme yup had ze geschreeuwd, ga maar naar je

golf- en tennismaatjes met je graatmagere vriendin. Het sloeg allemaal nergens op maar het had haar goed gedaan hem te zien ver-
bleken bij haar scheldkanonnade. Diezelfde avond had ze het huis
verlaten en was naar Pam gevlucht. Nadat alles was geregeld en
de scheiding erdoor was had ze dit appartement kunnen kopen
wat echter nooit haar thuis was geworden. Toegegeven de afhan-
deling van het financiële gebeuren zowel als de scheiding was zonder al te veel problemen verlopen, ze kreeg waar ze recht op had.
Van alimentatie was geen sprake want ze had een goede baan en
kon in haar eigen levensonderhoud voorzien, wel had hij haar een
aardig bedrag toegekend wat ze als smartengeld had aanvaard.
Een nette en beschaafde scheiding had ze schamper tegen Pam
gezegd, dat ik ooit wat in die robot heb gezien, bah! Pam had erom
gelachen en er haar eigen gedachten over gehad, Iris was een
beste meid maar erg makkelijk nou nee! Waar er twee vechten
hadden er twee schuld was het aloude motto.

Met een diepe zucht gooide Iris haar aankopen in een stoel en
schoof de deur naar het balkon open. Met een trui of vest aan konden ze nog wel een uurtje buiten zitten, want wat dat aangaat had
Rosie gelijk, ze was graag buiten in de frisse lucht. Dat het flatje
haar steeds meer benauwde was weer een ander verhaal en daar
wilde ze evenmin over nadenken.

„Hallo Iris hoe was je dagje Amsterdam," vroeg Pam direct na binnenkomst, „en hoe was het met zuster Rosie?" Ze hing haar jas op
en liep achter haar vriendin, die nog steeds zweeg, naar het balkon
en ging er eens goed voor zitten. Ze vermoedde dat het niet mee-
gevallen was aangezien Iris nogal zuur keek. Iris schonk koffie in
en trok een stoel wat dichter bij de tafel. „Ach op zich was het wel
gezellig totdat we op een terrasje wat aten en ze met een belachelijk voorstel kwam." Ze vertelde Pam er het een en ander over:
„Het is eigenlijk te bizar voor woorden, ik in één huis met mijn
oudere moederkloek zuster. Dat overleven we waarschijnlijk geen
van beiden."

„Ik weet het zo net nog niet." Peinzend krulde Pam haar onderlip
in en uit, „jullie hebben best een aantal raakvlakken, zeker wat de

natuur betreft. Ik vind het eigenlijk wel een goed plan." Ze zei er niet bij dat Iris als ze zo door ging zichzelf in de vernieling hielp. Ze was geen alcoholist, nee nog niet, maar dat ze het laatste jaar teveel dronk stond als een paal boven water. Ze was niet gelukkig maar wie was dat wel? Je had toch allemaal je goeie en slechte tijden, en het was een kwestie van karakter tonen om jezelf daar weer bovenop te helpen.

„Hé, ben je in slaap gevallen?" Iris schudde haar vriendin bij haar arm.

„Ik dacht na," klonk het wat kortaf.

„Je lijkt Rosie wel. Ik vind het roerend dat jullie over mij nadenken, maar misschien kun je dat aan mijzelf overlaten. Ik weet heus wel wat er achter al die bezorgdheid schuilt… Oké, ik drink het laatste jaar wat te veel en loop alle feestjes af waar ik een uitnodiging voor krijg, so what? Het is mijn leven, toch? En als jullie denken dat ik in het afkickcentrum 'Rosie' ga zitten zijn jullie toch abuis."

„Overdrijf niet zo." Enigszins geprikkeld nam Pam een slokje koffie. „Bah, de koffie is koud!"

„Tja," zei Iris laconiek, „dat heb je ervan, moet je je maar niet zo druk maken. Maar goed, ik zet wel even verse."

Na een paar minuten was ze terug met een beker koffie en een fles wijn. „Als je het niet erg vindt neem ik liever een hartversterkertje. Onder de ogen van mijn zus durfde ik maar twee glazen wijn te drinken. Maar wat vind je nu echt van dat voorstel om een huisje buiten te kopen?"

„Het lijkt mij erg gezellig. Rosie vindt het fijn om voor iemand te zorgen en jij laat je graag vertroetelen, dus wat is dan het probleem?"

Iris woelde even met twee handen door haar krullen: „Ik zie ons als twee oude vrijsters. Rosie met een dikke kat op schoot en een breiwerkje in haar handen, verder een kanariepiet die het hoogste lied zingt… ja dat trekt me echt."

Pam schoot in de lach: „Ik zie het voor me, een snorrend kacheltje in de hoek van de kamer en een antieke theewagen met een gebloemd servies erop en eigengebakken koekjes op een mooi schaaltje. Alle gekheid op een stokje Iris... je begrijpt wel dat het zo niet langer door kan gaan. Heb je de laatste tijd wel eens goed in de spiegel gekeken? Je hebt grauwe wallen onder je ogen en je huid is flets. Je hebt het voordeel een goeie schoonheidsspecialiste te zijn en je kunt toveren met wat make-up en camouflagestiften. Maar 's avonds lukt het je niet te verbloemen hoe je er in werkelijkheid uitziet."

„Bedankt Pam, hier kikker ik van op. Maar stel dat het doorgaat dan ben ik wel mijn vrijheid kwijt. Als ik uitga kan ik niet meer drinken want ik moet autorijden, bovendien is het naar mijn werk gaan in de ochtendspits ook geen pretje. En als laatste, en dan mag jij weer, als ik een vriend heb waar moet ik met hem blijven, gezellig bij moeke Roos aan de eettafel aanschuiven?"

„Allemachtig wat kun jij zeuren zeg! Je zus stamt niet uit de tijd van Jane Austen hoor, ze is echt wel een vrouw van deze tijd. Als je uitgaat kun je bij mij slapen, no problem, je kunt zelfs een huissleutel van me krijgen. Verder zou ik het wel leuk vinden in de weekenden wat meer samen op te trekken. Je loopt nu de vreemdste feestjes af waar buiten de alcohol ook drugs een hot item is. Waarom toch Iris, waarom?"

Iris haalde haar schouders op: „Wat is er op tegen af en toe een joint te roken, ik heb er soms echt behoefte aan. Ik voel me rot Pam, en hoe ik ook mijn best doe ik kan er niet meer van maken. Iedere dag ziet er hetzelfde uit, mijn werk geeft me niet meer de bevrediging van een paar jaar geleden, ik baal van het leven dat ik leid. Sorry hoor maar ik kan er niets aan doen."

„Ik sta niet in jouw schoenen en we denken niet hetzelfde over het leven. Maar ik vind dat jij heel erg ontevreden bent. Altijd zeur je over je familie, je werk, je ex, de flat en ga zo nog maar even door. Heb je je wel eens afgevraagd waarom jij de enige in jullie familie bent die op alles en iedereen commentaar heeft? Ben jij dan zo'n toonbeeld van volmaaktheid, laat toch naar je kijken," klonk het schamper. „Maar ik ga naar huis ik ben je gedrag een beetje zat. Denk maar eens stevig na over een zekere Iris dat lijkt me een prima tijdverdrijf voor je. Gegroet, bel maar als je iets positiefs te melden hebt."

„Puh, wat een intens meelevende vriendin heb ik toch," mopperde Iris terwijl ze de spullen naar de keuken bracht. Ze sloot de boel af en liep naar de badkamer waar ze snel een douche nam. In bed kwam ze er evenwel niet onderuit over de scherpe woorden van haar vriendin na te denken.

Een week lang hoorde niemand iets van Iris. Tegen haar gewoonte in bleef ze het weekend thuis en ze besloot de flat een goeie beurt te geven want dat was wel nodig had ze gezien. Misschien gaf het haar aan het eind van de dag wel een goed gevoel en dat was nooit weg. Vol goede moed zette ze een cd op en probeerde met de muziek mee te zingen. De eerste uren ging het prima, de kamer zag er redelijk gezellig uit en was in ieder geval stofvrij. De slaapkamer ging ook nog maar tegen vijf uur had ze er volkomen genoeg van en daalde haar humeur tot het nulpunt. Ze mikte de zeem op het aanrecht en schoof met haar voet de emmer in een hoek. In de keuken was het een troep maar de energie was op. Somber zat ze aan de tafel voor zich uit te kijken, een lege avond lag voor haar. Nog even was er de twijfel of ze toch naar het feestje zou gaan waar ze voor was uitgenodigd, maar uiteindelijk zag ze er vanaf. Ze kon net zo goed in haar eentje een fles wijn leeg drinken want op al die feesten voelde ze zich net zo eenzaam als dat nu het geval was.

Jammer dat Pam niet kwam. Ze durfde haar niet te bellen na het gesprek eerder die week. En zelfs als ze kwam was ze toch niet in een gezellige stemming. Moedeloos legde ze haar hoofd op haar armen. Ze dommelde wat en schrok wakker toen ze de telefoon hoorde. Iris nam niet op maar wachtte tot de voicemail aanging, het was Rosie. „Iris als je thuis bent neem dan de telefoon op wil je?" Het bleef even stil toen nam Iris toch maar op: „Hai, is er iets bijzonders?"

„Nee, dat niet maar je hebt niet meer teruggebeld na ons dagje Amsterdam. Ik wilde weten of je erover hebt nagedacht. Ik wil morgen wel naar je toekomen om er verder over te praten."

„Moet dat," haar toon was onwillig maar Rosie had niet anders verwacht.

„Het moet niet! Als je wilt kun je ook naar mijn huis komen, dat vind ik wel zo gezellig."

„Ik weet het niet hoor Roos, ik ben moe en wil morgen uitslapen en rustig aan doen."

„Dat kan allemaal," klonk het vrolijk, „je slaapt lekker uit en dan kom je in de middag hiernaartoe. We eten gezellig samen, en volgens het weerbericht zou het goed weer zijn dus kunnen we misschien nog even in de tuin zitten. Kom op mopperpot, doe je zus een plezier."

„Nou vooruit dan maar, ik bel je wel voor ik wegga." Rosie kreeg niet de gelegenheid om nog wat te zeggen want de verbinding was al verbroken.

Maar Rosie was tevreden, zus Iris kwam in ieder geval. Ze had die week een lang gesprek met Pam gehad en wat die haar vertelde had haar geschokt. Ze had wel het een en ander vermoed maar dat het zo erg was... Pam had lang geaarzeld of ze het Rosie wel of niet moest vertellen maar ze ging er vanuit dat ze er Iris wellicht mee kon helpen.

Met enige tegenzin vertrok Iris tegen de middag richting haar zus. Ze had nog steeds geen beslissing genomen of ze op haar voorstel om samen een huis te kopen zou ingaan. Eigenlijk was het een absurd voorstel maar aan de andere kant bood het leven dat ze tot nu toe had geleid ook weinig perspectief. En het idee dat wanneer ze 's avonds thuiskwam het eten op tafel zou staan was wel erg aanlokkelijk. Rosie was altijd een zorgzaam persoon geweest die het heerlijk vond de ander een beetje te verwennen en Iris liet het zich graag aanleunen.

De begroeting was hartelijk en Rosie trok haar enthousiast de kamer in waar tot Iris' ongenoegen ook haar broer Bruno was te vinden. Hij stond traag op en gaf zijn zuster een kus op beide wangen. „Dat is lang geleden zusje en ik kan niet zeggen dat je er stralend uitziet." Hij ging weer zitten en klopte op de bank dat ze naast hem moest komen zitten. Maar dwars als ze altijd was nam ze in een andere stoel plaats.

Bruno leek op zijn moeder en was blond, maar waar zijn moeder een tenger persoontje was, zo uit de kluiten gewassen was haar zoon.

„Wat voert jou hierheen," vroeg Iris nors, „ontduik je je huiselijke plichten?"

„Nee dat niet maar ik wilde mijn twee schone bloemen weer eens zien. Alhoewel... je doet je naam wel eer aan. Een Iris is een mooie bloem maar verwelkt snel en ze is niet om aan te zien zonder andere bloemen erbij. Dus wat dat betreft is het een prima voorstel om met een Roos samen te gaan wonen." Hij grinnikte er een beetje vals bij.

„Je weet je zoals gewoonlijk weer erg leuk uit te drukken, maar wat namen betreft... onze ouders waren vast van plan een hond te kopen voor mam zwanger werd en daarom hebben ze jou Bruno genoemd." Voor Iris nog meer hatelijkheden kon debiteren greep Rosie in. „Laten we het gezellig houden jongens, zo vaak zijn we niet bij elkaar. Ik ben bij een makelaar geweest en heb wat informatie over huizen gekregen. We kunnen als jullie het leuk vinden na de koffie even gaan kijken."

„Wat ik alleen niet begrijp," Bruno nam een laatste slokje koffie en zette de beker op tafel, „waarom je kiest voor Wateringen? Het is echt een plaatsje van niets, kassen en nog eens kassen."

„Ja, maar je weet dat ik niet te ver van Den Haag af wil wonen met het oog op ons werk," antwoordde Rosie.

„Ja oké, maar waarom dan niet iets zoeken bijvoorbeeld richting Schipluiden, die omgeving zal je zonder meer aanspreken."

„Ja hoor eens, laat Rosie nou haar eigen weg maar volgen, bemoei je er verder niet mee," mengde Iris zich in het gesprek.

Bruno haalde zijn schouders op en trok zijn jas aan: „Kom dames op naar Wateringen, we gaan met mijn auto als jullie het goedvinden."

Enigszins teleurgesteld reden ze een uurtje later Wateringen weer uit, Bruno had gelijk het was niet echt wat ze zochten. „Nog even naar Schipluiden?" stelde Bruno voor, „al is het maar om een voorlopige indruk te krijgen van de omgeving."

Dat leek er volgens Rosie meer op en verheugd stapte ze bij een gezellig watertje uit de auto en keek om zich heen. Ook Iris en Bruno stapten uit. Met blije ogen keek Rosie de anderen aan: „Het is leuk hier, ja, hier wil ik wel wonen."

„Je denkt toch niet dat je hier snel iets kunt vinden hè, doe toch niet zo naïef Roos," zette Iris meteen een domper op haar enthousiasme. „Ik heb onderweg niet één huis te koop zien staan."

„Laat Roos nu maar eerst een aantal makelaars bezoeken," suste Bruno, „en wees voor de verandering eens wat minder negatief. Ik begrijp ook echt niet wat Roos ziet in dat samenwonen met jou," voegde hij er geïrriteerd aan toe. Hij zette hen voor de deur af, stak nog even zijn hand op en spoot er toen vandoor. Rosie verdween naar de keuken om het eten op te zetten en liet Iris achter in de kamer, die lui wat onderuit schoof en haar ogen sloot. Het kwam niet in haar op haar zus te vragen of ze ergens mee kon helpen.

Een maand later belde Rosie haar zus op en zei het huis van haar dromen te hebben gevonden. Via via had ze te horen gekregen dat er in de buurt van Schipluiden een huis te koop stond dat voor hen uitermate geschikt zou zijn. We mogen vanavond nog gaan kijken, meldde Rosie. In de auto vertelde ze Iris dat het eigenlijk anderhalf huis was. Er woonde een gezin in en in het stuk dat was aangebouwd woonde de moeder van de vrouw. „Het lijkt me ideaal voor ons," zei Rosie verheugd.

„Dan is het zeker de bedoeling dat ik in die helft word ondergebracht," reageerde Iris bits.

„Laten we nu maar eerst gaan kijken de rest bespreken we later wel," zei Rosie nu ook kortaf. Ze had het dé oplossing gevonden. Iris kon met geen mogelijkheid de helft van de hypotheek ophoesten maar als ze haar flat verkocht zou ze wel het aangebouwde deel van het huis kunnen bekostigen. Dat had Rosie allemaal al op papier staan. Bruno, die jurist was, had alles met haar en de makelaar doorgenomen en het zag er veelbelovend uit. Zaak was natuurlijk dat ze binnen redelijke tijd hun eigen huis verkocht kregen, maar volgens de makelaar zou dat niet zoveel problemen opleveren. Rosies huis lag in een zeer gewilde buurt en de flat van Iris lag heel gunstig, niet ver van het centrum vandaan en dicht bij het station.

Met enige tegenzin moest Iris later toegeven dat het een heel aantrekkelijk huis was en dat de aanbouw groot genoeg was voor haar. Haar maaltijden zou ze bij Roos gebruiken en in de grote bijkeuken zouden de wasmachine en droger komen en een vriezer. In het aangebouwde gedeelte was een open keuken die door een eetbar van de kamer was gescheiden. De kamer was redelijk qua oppervlakte. Met een wenteltrap kwam je op een kleine overloop met daaraan grenzend een behoorlijke slaapkamer en badkamer met een douche, wastafel en toilet. De slaapkamer had een schuin dak en zag er daardoor heel knus uit.

Op die manier was ze toch zelfstandig en kon ze als ze dat wilde de gezelligheid bij Roos zoeken. Natuurlijk was haar huis wel groter en waren er meer slaapkamers. Zo kon ze de kinderen van Bruno te logeren vragen of wat vrienden. En als Iris wilde kon ze daar evengoed gebruik van maken. De grote woonkeuken was het droomdomein van Rosie, ze kookte en bakte graag en ze verheugde zich er nu al op daar bezig te zijn. Het raam in de keuken keek uit op de weilanden aan de overkant van een grillig watertje waar eenden en andere watervogels in ronddobberden. De tuin liep door tot aan het water en ook opzij van het huis was een brede strook gras met een beukenhaag afgezet. De voortuin was voor een deel betegeld met eromheen een strook grond waar nu enige verpieterde struiken in stonden. Rosies handen jeukten om de boel te lijf te gaan maar ze moest nog wel even geduld hebben.

Driekwart jaar later was het dan eindelijk zover, het huis was klaar en de verhuiswagens reden voor. Bruno had een dag vrij genomen om de zusjes te helpen en Brigit was al aanwezig en zorgde voor de koffie en schalen broodjes. Opnieuw was het lente en het was bijna een jaar geleden dat Rosie haar zus had voorgesteld samen een huisje buiten te zoeken. De verkoop van hun eigen huis was redelijk voorspoedig verlopen en Iris had zelfs tijdelijk haar spullen moeten opslaan en haar intrek in het huis van Pam genomen.

Gelijk met de verhuiswagens kwamen ook Rosie en Iris aan. Iris had Pam bij zich en ook Rosie had een helpende hand gevonden in de persoon van een zus van haar overleden man. Het was meteen een drukte van belang en omdat het goed weer was zette Brigit alles op een grote tuintafel. „Schuif aan jongens, laat de koffie niet koud worden." Natuurlijk was dat ook bedoeld voor de verhuizers die zich al snel tegoed deden aan de schaal met heerlijke broodjes. Brigit knipoogde naar Rosie, want zoals al snel bleek zou ze opnieuw een voorraad broodjes moeten smeren en beleggen. Hoewel Iris het allemaal te lang vond duren hield ze zich in maar toen ze later zag dat alle verhuizers zich alleen om de spullen van Rosie bekommerden greep ze in. „Bob, Frans," riep ze nijdig, „ik weet niet of jullie er erg in hebben maar ik heb jullie ingehuurd om mijn spullen te verhuizen en op zijn plaats te zetten. Dat wil zeggen dat je nu de wagen aan de zijkant van het huis zet en hem opengooit." Ze beende naar haar eigen huis en gooide de deur open. „Moet je nu gelijk de sfeer verknoeien," hijgde Pam die achter haar aan gerend was, „wat maakt het nu uit wie er het eerste geholpen wordt. Nu moeten ze het samen doen en anders had je hulp van vier man gehad."

„Dat interesseert me niet! Ik wil zo snel mogelijk ingericht zijn en een begin maken met dozen uitpakken. We wonen uiteindelijk toch apart zoals je ziet en ik bemoei me dus met deze kant van het huis. Help je mee of zoek je de gezelligheid van de anderen liever op?"

„Mevrouw Ferno ik vind niet dat u het erg handig aanpakt," mopperde Bob tegen Iris. „Het was logischer geweest het grote huis eerst te doen." Hij vond Iris een arrogante tante, heel anders dan haar oudere zuster. Bovendien was het werken met zijn allen een stuk genoeglijker. Hij mocht nu al blij zijn die middag nog een kop thee van hare Hoogheid te krijgen.

„Wat jij ervan vindt is niet belangrijk, je wordt betaald om je werk te doen anders niet."

„Iris," siste Pam, „doe normaal wil je, anders stap ik echt op. Kom jongens ze meent het niet zo kwaad. Laten we maar aan de slag gaan. Ik zet zo een grote pot koffie en ik heb er zelfs cake bij," moedigde ze de verhuizers aan. Bob en Frans mompelden nog wat maar dat was gelukkig niet te verstaan.

Tegen drieën kwam Mathilde hun kant op: „Ik heb koffie voor iedereen, komen jullie?" Iris keek verstoord op maar de veelbetekende blik van Pam zorgde ervoor dat ze toestemmend knikte naar Mathilde. „Oké, we komen er zo aan als deze dozen binnen zijn." Maar Mathilde bleef staan wachten en na een paar minuten liepen ze met haar mee.

Iris had een eigen ingang maar wel aan de achtertuin. Dat gold natuurlijk niet voor Rosie, die liet haar spullen aan de voorkant naar binnen brengen dat was minder omslachtig en een stuk praktischer dan via de keuken.

Uit de wind en in de zon zaten ze aan de zijkant van het huis en lieten ze zich de koffie opnieuw goed smaken. „Ik ben over een half uurtje bij mevrouw Ferno klaar," zei Bob, „dan kom ik jullie nog een handje helpen."

„En die uren moet ik zeker betalen?" gromde Iris zacht tegen Pam. „Het is all-in dat weet je net zo goed als ik. Je moet gewoon wat te mopperen hebben. Ik hoop dat de frisse lucht en de natuur om je heen je karakter wat reinigen want je bent niet te genieten de laatste tijd." Ze stonden op en Pam bedankte Mathilde voor de koffie. „Wat mankeert jou toch, je bent zo ongemakkelijk… je hebt toch zelf in de verhuizing toegestemd?"

„Ja dat weet ik ook wel, maar ik betwijfel ten zeerste of ik er goed aan heb gedaan. Je zit van god en iedereen verlaten en ik kan alleen op Rosie terugvallen. En ik ben bang dat ik na een maand wel uitgepraat ben met haar. Jij moet maar zoveel mogelijk de weekenden hier komen dan hoor ik tenminste wat interessantere dingen dan alleen hoe de bloemetjes in de tuin groeien en over mensen die een dieet moeten volgen."

„Je bent een bitch. Maar goed dat wist ik al. En kom nu op, er is werk aan de winkel."

Om vier uur waren de verhuizers bij Iris klaar en spoedden ze zich naar de andere kant om daar nog een uurtje te helpen.

„Zo: opgeruimd staat netjes," Iris maakte een fles wijn open en schonk voor hen allebei een glas in. „Kom even zitten Pam en laten we toosten op mijn nieuwe stek." Ze hielden hun glas omhoog en tikten ze tegen elkaar. „Dat je hier maar een gelukkig en tevreden leven mag leiden," sprak Pam haar wens naar Iris uit.

„Laten we het hopen," mompelde de onverbeterlijke pessimist. Na een paar uurtjes zwoegen stond alles op zijn plaats en was de fles wijn leeg. De dozen stonden langs de wand klaar om uitgepakt te worden. Pam nam de keuken voor haar rekening en Iris maakte boven de bedden op en pakte een doos met handdoeken en toilet-spullen uit. De badkamer zag er al snel gezellig uit mede door het schuine dak dat het een intiem aanzien gaf. Ook de slaapkamer had aan één kant een schuin dak. Ze schoof de dozen die nog uit-gepakt moesten worden aan de kant en ook het rek waar alle kle-ding aan hing. Voor even had ze er genoeg van en liep naar bene-den waar Pam nog steeds druk bezig was.

„Pam we maken nog een fles wijn open en houden er voor van-daag mee op. De tv is aangesloten en morgen komt Bruno om de rest van de elektrische apparaten aan te sluiten. We gaan met onze benen op de tafel languit in de bank liggen en doen ons te goed aan de lekkere dingen die ik heb ingeslagen."

„Nou," weifelde Pam, „Mathilde belde net of we bij hen kwamen eten. Ze heeft een heerlijke pan rijst met kip kerrie klaargemaakt. Tenminste dat had ze thuis al gedaan."

„Dan bel ik wel even dat we niet komen. Ik heb genoeg eten inge-slagen en ik wil de eerste avond in mijn eigen huis doorbrengen."

"Dat vind ik heel erg ondankbaar en ik heb gezegd dat we komen. Vooruit," ze duwde Iris in de richting van de deur. Uiteindelijk was het toch wel erg gezellig en kwam Iris een beetje los. De kamer zag er ouderwets en sfeervol uit met de zware eiken meubelen en de pluche kleden. Op het parket lag een prachtig kleed in warme tin-ten en onder de eettafel eenzelfde maar dan wat kleiner.

„Je had de eettafel toch in de keuken kunnen zetten? Hij is groot genoeg," zei Iris met een ondertoon van jaloezie. Want al was haar huisje groot genoeg, het kon niet op tegen de ruimte die Rosie had. Eigenlijk sloeg het nergens op want zij was net zo goed alleen... maar ja Rosie had de financiële middelen om het te kunnen bekostigen en zij niet.

„In de keuken komt er een andere eethoek," onderbrak Rosie de gedachtegang van haar zuster, „bovendien is de bekleding van deze stoelen te kwetsbaar voor de keuken. Hoever zijn jullie met het inrichten en dergelijke?"

„Zo goed als klaar, we houden er ook mee op voor vandaag. Wat we nodig hebben is uitgepakt en de rest kan wel even wachten. En jullie?"

„We moeten de bedden nog doen en willen nog even doorgaan. Als jullie willen afruimen en afwassen zijn we jullie erg dankbaar."

„O, vandaar dat we te eten zijn gevraagd, er staat nog een massa vaat van vanmiddag, leuk hoor!"

„Zeur niet Iris en pak aan, we wassen dat varkentje wel even," loste Pam het zoveelste conflict tussen de zussen op. Het was inderdaad een aardige berg vaat en het duurde wel even eer de laatste natte theedoek op het rekje hing. „Moeten we de spullen niet opbergen?" vroeg Pam die het aanrecht een laatste streek gaf. „Nee, het is mooi geweest ze zoeken het verder maar zelf uit. We smeren hem Pam voor ze nog meer klusjes voor ons hebben," klonk Iris chagrijnig.

„Ik zal trouwens blij zijn als haar afwasmachine van de week komt, ze is in staat mij iedere avond de vaten te laten doen in dank voor het eten dat ze heeft gekookt."

„Nou dat lijkt me ook vrij logisch. Was je van plan haar als je hospita te gebruiken, nee toch?"

„Discussie Rosie gesloten, ik ga koffie zetten."

Pam bleef in het kamergedeelte achter en keek om zich heen. Wat een verschil met de inrichting van Rosies huis dacht ze verwonderd, zo sfeervol als het er daar uitzag zo koud en steriel was Iris' huis. Alles even strak en trendy, ja dat wel. Maar Pam gaf toch de voorkeur aan een gezelliger leefomgeving. In de flat was het haar niet zo opgevallen.

„Wat zit jij somber voor je uit te staren… heb je ergens de pé over in?" Iris zette de bekers koffie op tafel. „Jammer dat je de cake aan de verhuizers hebt gevoerd, nu hebben wij niets meer."

„Ach wat sneu nou toch," zei Pam op sarcastische toon. Maar toen ze de verbaasde blik van haar vriendin zag bond ze in, ze had geen zin in nog meer woordenwisselingen.

„Zullen we een fles wijn mee naar boven nemen en vanuit ons bed tv kijken?"

„Mm, lijkt me wel gezellig, het is ook best fris in huis maar we zijn moe en dat speelt ook mee. We maken de hapjes klaar waar jij het over had en dan kruipen we genoeglijk onder ons dekbed."

Na een warme douche en in een gezellige pyjama gestoken genoten ze van het vriendschappelijk samenzijn. Er stonden twee boxspring bedden naast elkaar met aan beide zijden een glazen tafeltje. Het beddengoed had een kleurig en vrolijk dessin en hier voelde je ondanks de dozen tegen de wand wel een prettige en huiselijke sfeer.

's Nachts begon het stevig te regenen en Pam die even naar het toilet was geweest genoot toen ze haar bed weer instapte van het kletterende geluid van de regen op het dakraam. Ze benijdde Iris om haar huisje, en vooral ook om de omgeving waarin ze nu woonde. Bovendien had ze best graag een zus als Rosie willen hebben die haar op zijn tijd verwende en zorg voor haar had.

Zowel Mathilde als Pam bleven het weekend om te helpen en gingen pas maandagochtend weer naar huis. Rosie had vrij maar Iris ging gelijk met Pam mee naar Den Haag om naar haar werk te gaan. Om haar beste beentje voor te zetten ging ze tussen de middag boodschappen doen in de Frederik Hendrikstraat, ook wel eenvoudigweg de 'Fred' genoemd. Het was een lange en gezellige winkelstraat waar het altijd druk was.

Het Statenkwartier was een wijk dat bekend stond om zijn dure en in verschillende stijlen gebouwde herenhuizen. Iris vond het prettig er te werken en de schoonheidssalon had een goede naam.

Rosie gaf niet om status en haar praktijk bevond zich in een heel wat eenvoudiger buurt. Ze hield vanaf nu één dag per week spreekuur en het overige deed ze met de computer of per telefoon af. Zo kon ze haar eigen tijd indelen en zich bezighouden met het opzetten van haar moes- en kruidentuin.

In een opperbeste stemming reed Iris naar huis en voor het eerst genoot ze van de rit ernaartoe. Tot aan vandaag had ze de omgeving nauwelijks opgemerkt en was ze in gedachte bezig geweest met het regelen van alles. Ze parkeerde haar auto naast het huis en liep neuriënd naar binnen. Ze borg haar eigen boodschappen op en belde naar Rosie dat ze binnen een kwartier zou komen. Ze hadden afgesproken niet zomaar bij elkaar binnen te vallen en eerst even te bellen, zo hield ieder zijn privacy. Links van de huisdeur van Iris was een tussendeur die uitkwam in de gang bij Rosie, maar die werd alleen gebruikt in noodgevallen.

Even later zaten ze aan tafel en voelden zich zowaar prettig in elkaars gezelschap. Rosie had heerlijk gekookt en Iris zorgde spontaan voor de afwas en zette koffie. De doos met gebak stond op de keukentafel, die die dag was bezorgd, en Iris zette het blad met kopjes erop. Ze riep naar Rosie dat de koffie klaar was en die kwam met een omvangrijke map de keuken in. „Heb je zin om samen met mij te brainstormen hoe de inrichting van de tuin eruit moet gaan zien?" vroeg ze enigszins timide, want ze verwachtte niet echt veel belangstelling aan de kant van haar zus. Maar tot haar grote verwondering stemde Iris er vlot mee in. „Oké kom maar op met je plan," ze schoof de stoelen naar elkaar toe en boog zich over de ontwerpen. Het werd een gezellige avond waarin de fles rosé de bodem liet zien en op de borden met hapjes waren nog slechts wat achtergebleven restjes brie.

Helaas bleef de bereidwilligheid van Iris beperkt tot nauwelijks één week, daarna viel ze in haar gemakzuchtige patroon terug. En het viel Rosie niet mee haar zus ervan te overtuigen dat de afwasmachine vullen en de tafel afruimen haar taak was. Iris had haar schouders opgehaald en gezegd dat het hele plan van Rosie afkomstig was inclusief het koken en dergelijke. Rosie had haar met een vreemde blik aangekeken en iets in die blik had er toch voor gezorgd dat Iris haar plichten nakwam. Verder was ze de eerste maanden geen weekend thuis. Ze logeerde bij Pam en ging met haar, of alleen naar diverse feesten. Ze verviel in haar oude gedrag en toen ze opnieuw flink aangeschoten de flat van Pam binnenkwam barstte de bom.

„Dit is de laatste keer dat ik je onderdak verleen," zei Pam die met minachting de onzekere bewegingen van haar vriendin gadesloeg. „Je bent gewoon een ordinaire zatlap aan het worden en ik pas ervoor om daar ieder weekend mee opgescheept te zitten."

Iris plofte in een stoel en het scheelde weinig of ze was er naast gaan zitten. „Houdt je rustig," lispelde ze met dubbele tong, „zo erg is het niet hoor! En dan, je had toch mee kunnen gaan."

„Ik dank je feestelijk, je verkeert in kringen waar ik absoluut niet in gezien wil worden. Als wij samen weggaan is het best gezellig en weet je je in te houden maar daarnaast… bah, ik walg af en toe van je."

„Nou walg dan maar in je eentje verder want ik ga naar bed." Wankelend stond Iris op en wuifde met een slap handje naar haar nog steeds woedende vriendin.

De volgende ochtend stond een boetvaardige Iris met een blaadje waarop een beker thee en beschuiten stonden voor het bed van haar vriendin. „Pammetje wakker worden," ze schudde haar zachtjes bij haar schouder, „ik heb thee voor je." Voorzichtig opende Pam haar ogen en sloot ze weer toen ze zag wie er voor haar bed stond. „Toe nou Pammetje, neem het blad nu van me aan, ga je daarna douchen en kom dan ontbijten. De tafel heb ik al gedekt."

„Ben jij echt Iris die ik hoor praten… of droom ik nog?"

„Goed schat, je hebt een nachtmerrie maar dan toch… overeind jij, mijn geduld is op."

„Het mijne al veel langer," klonk het zachtjes maar toch zo dat Iris het verstond. Maar die deed net alsof ze het niet had gehoord en liep de slaapkamer uit. Aan de ontbijttafel kwam het tot een goed gesprek en Iris beloofde beterschap. „Eerlijk gezegd verveelt het me al een tijdje maar ze laten je zo moeilijk los. Elke keer komen ze met nog een leuker voorstel en dan trap ik er toch weer in. Maar met één ding kan ik je geruststellen ik blow niet meer. En je weet dat ik die andere troep nooit heb gebruikt."

„Misschien niet, maar een joint en alcohol gaan niet best samen, dat weet je ook wel."

„Nou ik zeg toch al dat ik dat niet meer doe," klonk het alweer ongeduldig. „Maar volgend weekend geef ik een party om het huis in te wijden, jij komt toch ook hè?"

„Hoeveel man heb je uitgenodigd?" berustte Pam zich lijdelijk in haar rol van oppasser.

„Dat weet ik niet precies. Ach joh we zien wel, we zorgen dat er genoeg drank aanwezig is en dan komen we de avond wel door. Ed en Ben hebben een busje gecharterd en je weet dat die niet drinken dus daar hoef je je alvast geen zorgen over te maken. Die twee zijn altijd de 'Bob' omdat ze gewoon niet van alcohol houden. Nou ja ieder zijn meug en in dit geval is het dé oplossing.

HOOFDSTUK 2

Het feest werd echter een grote misser. Tegen negenen verscheen het eerste busje waaruit een aantal mensen kwamen die kennelijk al het een en ander hadden genuttigd. Zwaaiend met flessen drank begroetten ze Iris en Pam die elkaar veelbetekenend aankeken. Het beloofde weinig goeds als de rest op dezelfde manier zou arriveren. Dat viel gelukkig mee, ware het niet dat in plaats van één busje er twee arriveerden. Een deel ervan kende Iris niet maar die waren meegenomen door de andere gasten. De eerste uren waren nog door te komen en werd er nog gepraat, maar tegen elf uur ging het volkomen mis. Iris noch Pam hadden grip op de situatie en de herrie en het geschreeuw ging buiten in de tuin verder. Er was geen plaatsje onbezet gebleven. Pam had het zekere voor het onzekere genomen en had geen druppel gedronken en Iris had na elven ook niets meer genomen. De Bob-mannen Ed, Ben en Richard baanden zich op een gegeven moment een weg door de wriemelende massa, en waren op zoek naar Iris die met Pam een plaatsje op de trap had gezocht. Ook al omdat ze wilden voorkomen dat er mensen afwaalden naar boven. „Iris het is drie uur, wij vinden het welletjes geweest en willen de lallende meute naar huis zien te vervoeren, wat denk je ervan?"
Iris zuchtte opgelucht: „Graag jongens, ik ben jullie heel dankbaar voor alle hulp vanavond, zonder jullie was het helemaal uit de hand gelopen. Maar wat ik me afvraag… waarom lenen jullie je iedere keer voor deze klus, je hebt zelf niets aan de avond."
„Simpel, we worden er aardig voor betaald en op deze manier brengen wij de mensen veilig thuis. Dat geeft ons een goed gevoel omdat we het wel anders hebben meegemaakt en dat weet jij ook wel. Er gebeuren al te veel ongelukken door beschonken bestuurders. En ach het is geen kwaad stel maar ze kunnen geen maat houden zoals zo veel mensen. Het gebeurt gelukkig ook niet iedere week. Maar zullen we de drijfjacht starten?" Iris en Pam schoten in de lach en posteerden zich bij de buitendeur, de jongens namen de achterhoede voor hun rekening. „Komaan lui het is de

hoogste tijd, zoek de bus op waar je mee bent gekomen en wacht daar." Iris trok de eerste twee bij hun arm richting de weg waar de busjes geparkeerd stonden. „Pam ik houd de wacht bij de busjes voordat er een paar lallend de weg oversteken."

Het duurde een aardige tijd eer iedereen zijn plaats had ingenomen en de busjes toeterend wegreden.

„Dit eens en nooit meer," verzuchtte Iris, „mijn hemel wat een bende. Ik ben benieuwd of er nog een glas de oorlog heeft overleefd. O wat ben ik moe," ze geeuwde luidruchtig. „Ik weet niet wat jij doet Pam maar ik laat de zooi de zooi en ga naar boven, ik word al misselijk als ik de troep zie. Morgen… herstel, straks zien we wel weer verder."

„Ik vind het prima maar zullen we niet even de tuin opruimen? Als je zus morgen terugkomt weet ze niet wat ze ziet."

„Dat is dan jammer, kom op, de trap op," ze duwde de protesterende Pam naar boven.

„Weet je wat zo frappant is," zei Iris toen ze fris en wel in bed lagen, „niemand heeft een bloemetje of iets voor het huis meegebracht, alleen maar drank die ze dan zelf hebben opgedronken."

„Is het op al die feestjes waar jij naar toegaat zo'n ongeorganiseerde bende?" vroeg Pam en ze draaide zich op haar rug. Ze konden geen van beiden de slaap vatten.

„Ik weet het eigenlijk niet," klonk het aarzelend, „ik ging meestal weg voor het te erg werd. Ik moet je tot mijn schande bekennen dat ik me nu pas realiseer wat een beschamend gebeuren zo'n avond is. Ik heb er voorgoed mijn buik van vol en dat is het enige positieve aan de zaak. Maar nu ga ik slapen want we hebben een drukke dag voor de boeg."

„Mm, welterusten dan maar!"

„Hemeltje Rosie kijk nu eens… wat een bende, de hele tuin ligt vol glas, flesjes, en jasses, zelfs borden met eten." Verschrikt bleef Rosie staan en staarde naar de chaos in de tuin. Het leek wel of er een bom was ontploft. Ze was om de herrie van het feest te ontlopen naar Mathilde gegaan waar ze ook had geslapen.

„Kom maar mee naar binnen," zei Rosie kortaf, „hier is mijn zus nog niet mee klaar."

„Iris wakker worden het is tien uur en zo te horen is je zus al thuis."

„Zal me een zorg zijn," mompelde Iris vanonder haar dekbed, „zet maar koffie als je wilt dan kom ik zo naar beneden." Balancerend probeerde Pam de keuken te bereiken en dat viel niet mee. Met haar voet schoof ze wat troep opzij en vulde het koffieapparaat. Uit het kastje boven het aanrecht pakte ze twee bekers en deed er koffiemelk in. Een gestommel op de trap kondigde Iris aan en een hartgrondige verwensing was haar goedemorgen. Pam schoot in de lach: „Ben je ooit in zo'n troep opgestaan en dat nog wel in je nieuwe huisje. Maar we gaan er straks stevig tegenaan, en je zult zien dat het dan wel meevalt."

„Tja," klonk het toen laconiek, „veel afwas hebben we niet want het meeste is aan gruzelementen." Op een kruk aan de eetbar dronken ze hun koffie en namen de bende in ogenschouw. Toen ze hun koffie ophadden trokken ze een makkelijke broek en shirt aan. Pam nam de tuin voor haar rekening en Iris begon aan het kamergedeelte ieder gewapend met een aantal vuilniszakken.

Tegen de middag zag het er weer redelijk toonbaar en schoon uit. Uitgeput zegen ze op de bank neer met een glas fris in hun handen. De alcohollucht was nog niet weg en de buitendeur bleef daarom openstaan. Op een gegeven moment kondigde Rosie zich aan. „Wil je even meekomen Iris?"

„Ja ma goed ma," prevelde Iris.

„Hoe haal je het in je hoofd om er zo'n orgie van te maken?" ziedde Rosie, „Ik schaam me dood hoe alleen al de tuin eruitzag."

„O ja, en voor wie schaamde je je dan, voor die kuise schoonzus van je? Ik kan me verder niet indenken wie er aanstoot aan zou kunnen nemen. Dat is trouwens toch wel het voordeel van buiten wonen vind je niet," treiterde Iris.

„De tuin," stotterde Rosie die dit keer echt over haar toeren was, „heb je met je dronken hoofd wel gezien hoe de tuin erbij lag?"

29

„Om te beginnen waarde zuster matig je toon wat. Ten tweede was ik beslist niet dronken al zul je dat niet willen geloven en ten derde... zie jij nog iets liggen op je smetteloze grasveld?"

„Nee, dat niet," klonk het een stuk kalmer, „maar dat neemt niet weg..."

Nog voor ze uitgesproken was nam Iris het van haar over. „Jouw grasveld, jouw huis, jouw alles... Zal ik vanaf mijn deur een heg of een hek plaatsen tot aan het water, want om je geheugen op te frissen... alle zooi lag op mijn gedeelte van de tuin, oké? En zal ik je nog eens wat vertellen... ik weet, ik heb een mini huis en een mini tuin en jij, jij doet alles in het groot, en daar word ik nou misselijk van. Was dat jouw bedoeling van het samenwonen, mij laten zien hoe goed jullie hebben geboerd in jullie huwelijk... denk daar maar eens over na hoe dat voor mij moet voelen." En na die woorden draaide ze zich om en liep woedend de tuin uit.

Lichtelijk over haar toeren vertelde ze Pam van het gesprek in de tuin. „Ik word af en toe niet goed van haar zogenaamde deugdzaamheid en ik hoop van harte dat ze nog eens uit haar rol zal vallen, bah!"

De stemming werd er niet beter op en Pam hield het om zes uur voor gezien.

„Sorry voor het verknoeide weekend, er was voor jou weinig lol aan te beleven." Iris gaf haar vriendin een hartelijke zoen, „en bedankt voor je onschatbare hulp."

„Het zit wel goed, ik bel je van de week!"

Iris zwaaide haar uit en ging met tegenzin weer naar binnen. Landerig trok ze het programmablad naar zich toe en zette de tv aan.

Na het weinig geslaagde weekend begon de maandag ook niet al te best. Iris' auto startte niet en het goot van de regen. Na weer een vergeefse poging de auto aan de praat te krijgen knalde ze het portier dicht en rende naar het andere huis. „Rosie kan ik jouw auto lenen vandaag de mijne doet het niet!"

„Het spijt me maar ik heb hem zelf nodig," Rosie kwam met haar jas aan de kamer in en pakte haar spullen. „Ik kan je naar je werk brengen maar dan moet je met het openbaar vervoer naar huis want ik werk maar tot twee uur."

„Ja, oké, schiet dan wel op want ik ben al laat," mopperde Iris terwijl ze met haar paraplu op naar de auto van Rosie rende. Die sloeg meteen aan en in een kalm gangetje reden ze weg.

Maar de dag was gedoemd te mislukken. Op haar werk liep het ook niet best en foeterend op klanten die hadden afgezegd raasde Iris de dag door. Het personeel hield zich gedeisd en wisselde heimelijke lachjes uit naar elkaar. Eindelijk verliet Iris de zaak en haalden de meisjes die avonddienst hadden opgelucht adem.

Bij de halte van de tram, die haar naar het station moest brengen, stonden al veel mensen opgepropt in het wachthokje, en moest Iris genoegen nemen met een plaats ernaast. Auto's die langsreden spatten een fontein aan water op dat deels op de kleding van Iris terecht kwam. Ze ziedde van woede, en toen bij een sterke windvlaag ook haar paraplu het nog begaf was de maat vol. Ze hield een taxi aan die haar naar het station bracht en gelukkig kon ze nog net op tijd de trein in. Zo liep er toch iets mee. Ook de bus kwam vrij snel en was ze uiteindelijk maar een half uur later thuis dan normaal, zij het dan drijfnat en koud.

Voor ze haar huis kon binnengaan stak Rosie haar hoofd om de keukendeur: „Doe gauw wat warms aan en kom dan hierheen, het eten is zo klaar."

Alsof er geen harde woorden waren gevallen zaten ze met elkaar aan tafel. Rosie had een heerlijke witlofschotel gemaakt en Iris knapte er zienderogen van op. De warme en gezellige sfeer van het huis hielp er ook aan mee dat de twee zussen op een normale toon hun ervaringen van de dag konden uitwisselen.

„Toch vraag ik me wel eens af," begon Iris voorzichtig," waarom je er zo op stond dat we bij elkaar gingen wonen. Oké, dit huis was voor ons allebei een buitenkans omdat we toch onze eigen bedoening hebben. Maar dan nog… wat is er tot op heden voor jou zo leuk aan?"

„Ach weet je, het zat er dik in dat het niet vlekkeloos zou verlopen daar zijn we te verschillend voor. Maar ik heb er echt geen spijt van, en niet alleen om het huis en de tuin. Ik vind het fijn te weten dat je naast me woont en dat als er wat is we op elkaar kunnen terugvallen. En natuurlijk hoop ik dat je toch wat meer hier neerstrijkt voor een stukje gezelligheid. We kunnen ook samen tv kijken, een kaartje leggen of zomaar wat praten. Het ging er toch ook om dat we beiden hiermee een stukje eenzaamheid wilden oplossen. Kijk, je moet niets, laat ik dat voorop stellen… maar goed we zien wel, toch?"

„Je hebt gelijk Roos. Weet je, ik voel me hier nog steeds niet echt thuis, maar ik weet nu wel hoe dat komt. Vergeleken met jouw inrichting is het bij mij koud en ongezellig, ik heb daar in het verleden nooit bij stilgestaan. Het contrast is groot en ik heb me voorgenomen daar door de tijd verandering in aan te brengen. Want je weet ik houd niet van jouw soort meubelen, maar er moet wel een aardige tussenweg zijn en daar ga ik met Pam moeite voor doen."

Het 'waarom niet wij samen' lag op het puntje van Rosies tong maar ze hield het net op tijd binnen. Ze hadden nog niets samen gedaan, geen boodschappen, niet gewinkeld, zelfs niet samen in de tuin gewerkt. Zo mooi als de tuin van Rosie erbij lag met zijn vele bloeiende struiken en bloemen zo weinig was er aan de kant van Iris gedaan. Rosies moes- en kruidentuin floreerde uitstekend. Ook had ze aan de zijkant van het huis struiken met bramen, frambozen en ander fruit geplant. Wanneer het maar enigszins goed weer was kon je haar in de tuin vinden.

„Waarom doe je niet wat meer aan je tuin, je was toch zo blij met een eigen stukje grond?" verwoordde Rosie haar overpeinzingen.

„Ik beloof je dat er verandering in komt. Ik ben het feesten zat, zeker na de ervaring hier. Ik wil inderdaad meer gaan genieten van de tuin en de omgeving, en Pam voelt daar ook veel voor. We hebben nog een groot deel van de zomer voor ons en ik hoop dat het weer zich van zijn beste kant laat zien. Maar wat is er op de tv vanavond? Het is hier lekker warm en daar heb ik wel behoefte aan."

Zo leek eindelijk het samenwonen een succes te worden al ging Iris nog best wel eens de fout in.

Pam was de meeste weekenden bij haar, ze gingen samen fietsen en de omgeving verkennen en een enkele keer wilden ze wat verder weg en dan gingen ze met de auto en vroegen Rosie mee.

„Wat leven we nu burgerlijk en saai hè," zei Iris op een zonnige zaterdagavond. „We zitten braaf voor het huis met een kopje koffie en een plakje cake, en we hebben even braaf in de tuin gewerkt. Waar is de spanning van het weekend, de feestjes, de lol," ze hief in gespeelde wanhoop haar armen ten hemel.

„Tja kind, aan alles komt een eind, ook aan alle uitspattingen en drankgelagen. Maar wees eens eerlijk… mis je het erg?"

„Nee niet echt, maar soms krijg ik toch wel de kriebels hoor. We gaan wel geregeld uit in de nette zin van het woord, naar de schouwburg, bioscoop, leuk… daar niet van, maar ik word er niet echt opgewonden van."

„Mm, je moest maar een keer tegen een leuke man oplopen… jij bent niet echt het type om altijd alleen te blijven. En dan natuurlijk niet zo'n losse flodder zoals in het verleden, maar een degelijke kerel met het hart op de juiste plaats."

„Ja, en met zes kinderen die naar een moeder snakken," proestte Iris, „ik zie het al gebeuren."

„Ach je weet maar nooit, ergens loopt vast wat leuks voor je rond."

„En jij dan Pam, hoe zit het dan met jou?"

„Ik zeg ook nooit nooit, ik heb een goed voorbeeld aan mijn ouders en zussen en die zien me natuurlijk maar wat graag onder de pannen. Maar voorlopig heb ik nog geen nesteldrang en daar wacht ik dan maar op. Maar wat denk je van een heerlijk gekoeld rosé'tje en zullen we je zus erbij halen?"

Met zijn drieën bleven ze tot middernacht in de tuin zitten en genoten van de zwoele avondlucht en alle geluiden om hen heen. Zo vredig, zo harmonieus.

Maar zo harmonieus bleef het niet lang. Een paar dagen later werd Rosie geveld door griep. Ze had er behoorlijk hoge koorts bij en toen Iris van haar werk thuis kwam en even bij haar ging kijken zat Rosie op de bank glazig en met rode konen voor zich uit te kijken.

„Naar bed jij," sommeerde Iris haar en hielp haar van de bank af.

Na een paar minuten lag ze onder haar dekbed en begon heftig te rillen. „Bel de dokter als je wilt, het nummer staat geprogrammeerd," klonk bibberig haar stem. Normaal kwam de dokter niet zo snel wanneer het om een verkoudheid of griepje ging maar in het geval van Rosie beloofde hij zo spoedig mogelijk te komen. En snel kwam hij.

Iris opende de deur voor de dokter en gaf hem een hand. Ze was enigszins verbaasd aangezien ze een oudere arts had verwacht, waarom wist ze zelf niet. En nu keek ze in de bruine ogen van een zeer aantrekkelijke man met donker haar, en een ondeugende glimlach om zijn mond. Hij had haar verwarring opgemerkt en dat gaf hem een plezierig gevoel.

„Peter Kramer," zo stelde hij zich voor en liep achter haar de trap op naar de kamer van Rosie. „Zo Mevrouw Albrecht, een griepje te pakken?" Hij ging op de rand van het bed zitten en voelde haar pols, daarna pakte hij de oorthermometer. „Inderdaad een beetje te hoog… waar heeft u nog meer last van?" hij voelde de lymfeklieren in haar hals die ook wat opgezet waren.

„Mijn keel, ik heb hoofdpijn, nou ja wat doet er geen pijn," antwoordde ze kribbig.

„Ja ik weet er alles van, een patiënt van mij zegt altijd dat ze het gevoel heeft tegen een tram of dergelijke te zijn opgelopen," grinnikte hij.

„Erg leuk maar aan mij niet besteed," moeizaam richtte ze zich iets op.

„In bed blijven tot de koorts is gezakt. Ik schrijf u een antibioticakuurtje voor en die moet u afmaken anders heeft het geen zin. Ook zal ik er een slijmoplosser bijdoen want het zit behoorlijk vast."

„Kan ik dat allemaal bij mijn bloeddrukpillen innemen?"

„Ja hoor, maar ik zal nog even de bloeddruk meten. Die is voor zover goed," de dokter borg zijn spullen op en sloot zijn tas. „U woont hier leuk, en gezellig hoor zo samen met uw zuster. De vorige bewoners waren ook patiënten van mij."

Rosie werd een antwoord bespaard doordat Iris met een blad met koffie naar boven kwam. Ze vond zijn verhalen weinig interessant en bovendien was haar eigen lichamelijke toestand een stuk belangrijker voor haar op dit moment.

„Uw koffie dokter," Iris reikte hem zijn kopje aan en hield hem een schaaltje koekjes voor. „Wat een verwennerij, daar kom ik mijn praktijk wel voor uit," hij lachte haar vrolijk toe. „Maar even wat anders, wij zijn hier in het dorp niet gewend elkaar zo formeel aan te spreken en als jullie het goedvinden kunnen we elkaar gewoon bij de voornaam noemen. Mijn naam is 'Peter' maar dat wisten jullie al. Mag ik de jouwe weten?" vroeg hij op amicale toon aan Iris. „Prima daar voel ik ook wel voor, ik heet 'Iris' en de naam van mijn zus is Rosie".

Vanuit haar bed keek Rosie haar zuster vuil aan. Waar haalde ze het lef vandaan om voor haar te spreken, daar was ze zelf bijdehand genoeg voor, en verder hield zij helemaal niet van dat familiaire gedrag. Ze liet hen haar ongenoegen dan ook meteen blijken: „Ik vind het geen pas geven een dokter met zijn voornaam aan te spreken evenmin als andersom."

Iris keek haar verbaasd aan, wat mankeerde Rosie afgezien van haar griep? Het chagrijnige gedrag naar een ander toe was ze echt niet van haar gewend. Normaal was Rosie tegen iedereen de beminnelijkheid zelve, en was zij het die vaak onhebbelijk kon zijn.

Maar dokter Peter trok zich er niet veel van aan en babbelde gezellig nog even met Iris die zijn aandacht wel kon waarderen. Ze kwam ten slotte niet iedere dag een aantrekkelijke man tegen die niet veel ouder dan zijzelf was. Peter stond op en gaf Rosie een hand. „Dus Mevrouw Albrecht: een paar dagen bed houden en dan kom ik van de week nog even bij u kijken. Het beste met u!" Hij verliet de kamer en Iris liet hem uit. Met de deur in zijn hand zei hij nog snel: „Prettig met je kennis te maken Iris, wat een mooie naam overigens." Iris lachte maar wat en sloot de deur achter hem. Wat een charmeur dacht ze ondeugend, maar ze was niet van plan hem als arts te nemen, nee dat was veel te intiem. Ze zou hem liever op neutraal terrein nog een keer ontmoeten, daar zou ze absoluut niets op tegen hebben.

„Moest jij weer zonodig flirten?" bitste Rosie, „je vergeet geloof ik dat hij hier beroepshalve was." Ze hoestte en drukte een zakdoek tegen haar mond. „Ga nou die medicijnen maar halen daar heb ik meer aan."

„Tjonge jonge nooit gedacht dat jij zo'n chagrijn kon zijn, ik verbaas me over je. Maar oké ik vlieg weg voor uw medicamenten Mevrouw Albrecht." Zelfs op de trap hoorde ze haar zus nog venijnig sputteren en met een grote grijns op haar gezicht trok Iris even later de deur achter zich dicht.

De volgende dag had Iris vrij genomen om haar zus te verzorgen, daarna zou Mathilde het op de dag van haar overnemen. Het bleek algauw dat Rosie geen makkelijke patiënt was om mee om te gaan. Hoewel ze weinig stem had zag ze kans de ander constant te laten rennen. Iris had haar tenten bij haar zus opgeslagen om 's nachts paraat te zijn, maar gelukkig was dat niet echt nodig. Als Rosie sliep, ziek of niet, dan sliep ze ook echt. Zelfs de heftige hoestbuien en naar het toilet gaan hielden haar niet lang uit haar slaap en daar was Iris erg dankbaar voor. Overdag werken en 's avonds de trap op en af te rennen eiste al snel zijn tol. Ook zij kreeg de griep al was het in mindere mate en nu werd de hulp niet alleen van Mathilde maar ook van Pam ingeroepen.

En vreemd genoeg was Iris geen lastige patiënt. „Jullie hebben de rollen geloof ik omgedraaid," zei Pam die Iris een sapje kwam brengen, „of het moet zijn dat dokter Peter zo'n veredelde invloed op je heeft."

„Hij is mijn dokter niet," kraakte Iris bijna onverstaanbaar. Het viel Pam wel op dat haar kleur zich verdiepte. „Nee, dat zal wel niet maar ik vraag me nu toch stiekem af of je blosjes wel van de koorts zijn."

„Ach vlieg op, hij komt voor Roos dus het is vrij logisch dat hij mij in een moeite erbij neemt."

Pam stopte haar vingers in haar oren toen er een hoestbui in stereo losbrak. „Lieve help Roos en Iris houdt je bacillen alsjeblieft bij je anders is het hier dadelijk een ziekenboeg."

„Wat een lekker stel hè?" lachte ze toen ze weer beneden was en een kop koffie aannam van Mathilde. „Het is maar goed dat we de boel af en toe luchten door de tuindeur open te houden, ze hebben het wel te pakken."

„Ja, en ik ben blij dat ik niet echt bevattelijk ben en jij geloof ik ook niet."

„Nee, maar ik vind het wel frappant dat Rosie zo lastig is en Iris niet, het is net een klucht."

„Ik kijk er niet van op. Roos is altijd heel ongemakkelijk als ze wat mankeert. Ze haat het afhankelijk te zijn en niet te kunnen doen waar ze zin in heeft. Daarom werkt ze voor zichzelf zodat niemand haar kan vertellen wat ze moet doen."

„Mm… ik blijf het tegenstrijdig vinden. En Bruno, wat weet je van zijn gedrag?"

„Bruno is een pestkop maar als de nood aan de man komt kun je te allen tijde op hem rekenen. Hij was hier van de week en het was echt lachen. Hij las Roos de les, die nota bene qua leeftijd zijn moeder had kunnen zijn, en met Iris had hij alle geduld en maakte haar aan het lachen. Tja het kan verkeren zei Bredero en hij kon het weten."

Na een paar dagen was Iris weer op de been en ging het met Rosie ook een stuk beter. Peter had een laatste bezoek gebracht aan de zussen en het speet Iris oprecht. Ze vond hem beslist de moeite waard en dat ergerde Rosie bovenmate.

Toen ze samen beneden op de bank zaten, Mathilde was inmiddels naar haar eigen huis teruggegaan, sprak Rosie haar zus erover aan. „Ik vind je gedrag naar de dokter toe zwaar beneden peil. Hij was hier beroepshalve al schijnt dat jou kennelijk te zijn ontgaan. Hij is trouwens niet het bartype waar jij gewoonlijk op valt."

„Wat kun jij een ongelooflijk kreng zijn," zei Iris die zich behoorlijk gekwetst voelde. „Ik leer een andere kant van jou kennen en ik moet zeggen dat die kant me aardig tegenstaat. Gewoonlijk speel je moeder Therésa en zogauw er iets niet naar je zin gaat zoals nu dan verander je in een grommende beer. Ik kan eigenlijk niet zogauw een tegenhanger vinden voor moeder Therésa."

„Schieten woorden je tekort... dat heb je niet zo vaak toch? En nog even wat anders... hij is weduwnaar en heeft een zoontje van zes, daar schrik je toch wel even van hè?"

„Waarom zou ik daar van schrikken?" Iris haalde met een onverschillig gebaar haar schouders op. Maar de woorden van Rosie hadden haar wel degelijk een schok bezorgd. Peter leek een vrolijke onbezorgde kerel maar dat was dus niet het geval, hij had verdriet gehad en misschien nog wel, en hij had een kind waar hij voor moest zorgen.

Rosie onderbrak haar gedachten door nog een laatste schot af te vuren. „Voor zover ik weet Iris, wilde je geen kinderen... jij wilde ze niet en ik kon ze niet krijgen, daar heb je nooit over nagedacht hè? Jij hebt altijd je eigen egoïstische leventje geleefd en wat je niet beviel doekte je op zoals Stef. Altijd lag alles aan een ander maar nooit aan jou. Je commentaar op onze ouders, op Bruno... en dacht je nu heus dat een man als Peter daar in zou trappen? Verder drink je teveel en gebruikte je drugs, ook niet echt een aanbeveling voor een dokter."

Iris kon haar oren nauwelijks geloven, wat een giftong kon haar zuster hebben. Ze kon het niet meer aanhoren: „Je wordt bedankt Roos, maar voor je me nog verder afbrandt ga ik naar huis. Je zoekt het verder maar uit en onthoud één ding, je kunt nog zo ziek zijn... op mij hoef je niet meer te rekenen. Ik heb nooit geweten dat je zo'n gifslang kon zijn."

Iris hield zich goed totdat ze in haar eigen huis was en toen barstte ze in een enorme huilbui los. De vernietigende woorden van Rosie hadden zo'n inpact op haar dat ze opnieuw koorts kreeg en ziek werd. Gelukkig was het vrijdag en belde ze in haar wanhoop naar Pam die direct in de auto sprong.

„Ach lieve meid, je krijgt het wel voor je kiezen," ze gooide haar jas op een stoel en ging naast Iris op de bank zitten. „Vertel eerst maar wat je liefhebbende zuster heeft gezegd, daarna ga ik een grote pot koffie zetten. Maar ik haal eerst een duster en een paar sokken voor je, je rilt helemaal. Je kijkt nu net zo triest als dat het weer buiten is, dat noemen ze nou zomer..." Ze praatte maar wat om Iris de gelegenheid te geven een beetje tot zichzelf te komen. Even later zaten ze met een grote beker koffie op de bank en met horten en stoten vertelde ze Pam wat Rosie had gezegd. „Ik ben ook geen lieverdje," zei ze in alle eerlijkheid, „maar ik geloof niet dat ik ooit zo gemeen ben geweest. Roos heeft kennelijk een gespleten persoonlijkheid, ik zou het anders niet weten."

„Mm, dat is het nadeel als je elkaar zo oppervlakkig kent," peinzend keek Pam haar vriendin aan. „Jij kunt inderdaad heel scherp uit de hoek komen maar zo was je vroeger evenmin. Je ouders hebben zoals ik heb begrepen hun verantwoordelijkheid niet zo nauw genomen en veel aan Rosie overgelaten. Jullie zijn alledrie heel verschillend van karakter en Bruno lijkt de meest onverschillige. Maar ik denk dat jullie alledrie gevormd zijn door datgene wat er in jullie leven is gebeurd. En omdat jullie elkaar niet echt kennen komen er nu trekjes naar boven die je niet begrijpt. Roos was al volwassen toen jij nog maar een kleuter was, ze moederde over je en dat is alles wat je je ervan herinnert. Leer elkaar eerst goed kennen al lijkt dat op het moment onmogelijk. Ze verontschuldigt zich heus wel zodra ze beseft wat ze heeft gezegd."

„Sta me toe dat te betwijfelen. Toen ik dat feestje heb gegeven was ze ook niet mis in haar commentaar, dat weet je ook wel. Ik ga haar voorlopig uit de weg, en ik heb gezegd dat ze op mij niet meer hoeft te rekenen als ze nog eens wat mankeert."

„Ach lieverd, je weet het, de soep wordt niet zo heet gegeten als dat hij wordt opgediend. Laat het betijen. En nu naar boven en naar je bed. Je ziet eruit als een geest."

„Ook opwekkend," mompelde Iris maar ze deed braaf wat haar werd gezegd.

„Als je eerlijk bent," begon Pam opnieuw toen ze allebei in bed lagen, „dan heeft Roos niet helemaal ongelijk, al had ze het wel anders mogen verwoorden. Je hebt altijd gezegd geen kinderen te willen en wat de rest betreft… daar hebben we het ook geregeld over gehad."

„Dat weet ik wel," snufte Iris, „maar ze bedoelde het echt gemeen. Ze weet dat ik Peter leuk vind en dat kan ze gewoon niet hebben, al weet ik niet waarom! De hele tijd dat ze ziek is doet ze al zo rot tegen me."

„Ja Mathilde zei er ook al iets over, maar voor haar was het geen nieuws, zij kent haar schoonzus door en door. Maar even wat anders… jij vindt Peter leuk maar hoe staat hij tegenover jou? En ben je ook zijn patiënt dan wordt het nog moeilijker."

„Ik ben niet zijn patiënt, hij kwam voor Roos en dan is het niet meer dan normaal dat hij ook naar mij omkijkt. Hij heeft mijn eigen arts een recept laten uitschrijven. En je vraagt of hij mij ook leuk vindt… ik denk het wel. Hij is tegen mij heel anders dan tegen Roos."

„Oké dat begrijp ik maar houd dat verder iets in vraag ik me af."

„Dat weet ik niet, de tijd zal het uitwijzen. Toen hij voor het laatst kwam liet hij doorschemeren dat hij het leuk zou vinden me nog eens te zien."

„Stel hè, stel dat het wat zou worden hoe sta je dan tegenover het weduwnaar zijn, en het feit dat hij een zoon heeft?"

Iris zuchtte: „Ik heb daar nog niet echt over nagedacht, ik vind dat wel erg voorbarig."

„Dat is onzin, je kunt dat kind niet uit de situatie wegdenken, het is er nu eenmaal."

„Ja dat weet ik ook wel," kribbig trok Iris het dek wat hoger, „ik ga slapen Pam ik ben bekaf en voel me hondsberoerd."

„Goed maatje, slaap lekker en als er wat is maak me gerust wakker. Ik had je niet lastig moeten vallen met mijn vragen, Roos' gedrag zorgde al voor genoeg ellende."

Een paar weken later kwam Iris de dokter tegen die kennelijk net terugkwam van een patiënt. Hij zag er zorgelijk uit en liep haar haast voorbij. Toen ze zijn naam riep keek hij geschrokken op. „Sorry Iris ik liep zo in gedachten dat ik je niet zag. Wat zie je er goed uit, alle griepbacillen de deur uitgegooid, en je zus hoe gaat het met haar?"

„Wel goed," zei ze op ontwijkende toon. „Maar hoe is het met jou, je ziet er zo moe uit."

„Ik kom net bij een patiënt vandaan die ik een nare boodschap moest brengen. Maar mijn dienst zit erop, heb je zin wat met me te gaan drinken?"

„Lijkt me gezellig, maar moet je niet naar huis?" ze aarzelde toen ze dat zei omdat ze daarmee misschien suggereerde dat ze van zijn thuissituatie afwist.

„Mijn tante woont bij mij," klonk het rustig, „zij zorgt voor Niels als ik er niet ben. Bovendien zorgt ze ook voor de praktijk en neemt de boodschappen aan. Ik hoef me daar gelukkig geen zorgen om te maken."

„Dan neem ik je uitnodiging met plezier aan."

„Goed mevrouw en waar zullen we naar toegaan?" haakte Peter op haar vrolijke en uitdagende toon in.

Het klikte tussen Peter en Iris en toch waren ze beiden heel afwachtend wat betreft het maken van afspraken. De zomer was al een aardig eind op streek toen er eindelijk een echte afspraak werd gemaakt. Peter belde Iris op voor een etentje en een wandeling langs het strand. Hij had een zware week achter de rug en wilde even uitwaaien om wat te ontspannen. Verrast stemde Iris toe. Het was die dag ongekend warm geweest. Iris die eerst te moe was om een voet te verzetten was door het telefoontje van Peter als een blad aan de boom omgeslagen. En in een vrolijk en frisse outfit danste ze bijna naar haar auto. Ze hadden op de boulevard afgesproken.

Rosie die haar naar haar auto zag gaan draaide zich verdrietig van het raam af. Na de ruzie hadden ze niet meer met elkaar gesproken. Rosie at alleen en ze betreurde iedere dag de dingen die ze had gezegd. Het was niet meer terug te draaien en ze begreep zelf niet hoe ze die gemene dingen had kunnen zeggen. Want hoewel ze de doorgaans scherpe tong van Iris veroordeelde bleek nu dat ze zelf eigenlijk geen haar beter was. Het excuus dat ze het vreselijk vond ziek te zijn ging natuurlijk niet op, ziek zijn gaf haar niet het recht om het op een ander af te reageren. Ze hoopte maar dat het tussen hen weer goed zou komen want ze voelde zich de laatste tijd heel eenzaam. Zeker nu het er op leek dat Peter iets voor Iris voelde.

Peter stond al bij de pier te wachten toen Iris arriveerde. Hij stak zijn hand op toen hij haar zoekende blik door de rij mensen zag gaan. „Hallo Iris leuk je weer te zien," begroette Peter haar en gaf haar een kus op haar wang.

„Het was druk op het laatste stuk voor Scheveningen, het leek erop of heel Nederland hiernaartoe wilde. Had jij daar dan geen last van?" Ze liepen de trap af naar het strand tot aan de vloedlijn. „Nee niet echt, ik weet heel wat sluipkruipweggetjes en daar heb ik veel profijt van." Vriendschappelijk wandelden ze hand in hand een tijdlang zwijgend langs de zee en Iris voelde langzaam de spanning verdwijnen. Sinds haar tienertijd had ze nooit meer hand in hand met iemand gelopen, en ze vond het spannend een stukje terug in de tijd te zijn. Maar na een half uur vond ze de stilte benauwend worden. „Heeft Rosie met jou wel eens over mij gesproken?" vroeg ze en draaide haar gezicht zijn kant op. „Ik weet dat jij haar met oog op haar bloeddruk nog een paar keer hebt bezocht."

„Nee hoezo? Heb je een duister verleden dat je dat vraagt," plaagde hij.

Ze bloosde licht: „Doe niet zo gek, nee natuurlijk niet, het was zomaar een vraag. Ik vind het leuk met je om te gaan maar we weten nog erg weinig van elkaar."

„Dat is zo, maar we hebben toch geen haast? Evengoed vind ik het wel leuk wat over jouw leven te horen. Rosie en jij schelen veel in leeftijd, was dat niet lastig zo'n oudere zus naast je moeder."

„Nee, dat was ook wel nodig aangezien mijn moeder zich niet zo veel met de opvoeding van ons bezighield, mijn vader overigens ook niet." Iris vertelde Peter het een en ander zodat hij een redelijk beeld kreeg van haar jeugd tot aan het vertrek van Rosie toen die ging trouwen.

„Waarom trokken je ouders zich zo weinig van jullie aan, ik kreeg niet de indruk dat het slechte ouders waren."

„Dus heeft Rosie wel gepraat over ons," concludeerde Iris.

„Meer over zichzelf en haar leven met Daaf. Het is voor een huisarts altijd prettig wat meer over het leven van de patiënt te weten met oog op de behandeling. Jij bent geen patiënt van mij maar een vriendin en dan is het nog belangrijker de dingen te weten te komen," hij trok haar zachtjes aan haar haren.

„Je bent wel een beetje een pestkop hè?" vroeg ze met pretlichtjes in haar ogen, „denk erom dat ik daar ook goed in ben."

„Ik twijfel er niet aan," Peter duwde haar voor zich uit en baldadig renden ze over het strand tot ze buiten adem tegen elkaar aanbotsten. „Zo, gevangen en ik laat je nooit meer los." Peter kuste haar stevig op haar mond en zette haar weer op haar eigen benen. Iris kreeg een warm gevoel bij zijn woorden en ze stak spontaan haar arm door de zijne. „Vertel nu eens wat over jouw leven en over je zoon. Heb je een foto van hem bij je?"

„Kom we zoeken even een plaatsje in de zon tegen het duin aan." Ze ploegden door het mulle zand tot aan de duinrand en lieten zich daar onderuit zakken. Peter sloeg een arm om haar heen en trok haar tegen zich aan. „Ik trouwde pas na mijn studie. Ik kende Ankie mijn hele leven want haar familie woonde naast ons. We speelden als kinderen al met elkaar in de zandbak dus je begrijpt wel dat we een enorme band hadden." Iris voelde zich verkillen, hoe kon zij in hemelsnaam wedijveren met zijn jeugdvriendinnetje dat later zijn vrouw werd. Ze was ineens bang iets over haar eigen relatie en verleden te vertellen. Huisje, boompje en kindje, bij hem was alles netjes in de juiste volgorde gegaan, alleen het beestje ontbrak maar misschien kwam dat ook nog aan de orde.

„Hé wat ben je ineens stil… als je liever niets over mijn verleden hoort is het mij hetzelfde hoor!" Zijn stem klonk wat kribbig. „Je vroeg er zelf naar."

„Dat weet ik, maar mijn gedachten dwaalden even af naar mijn eigen verleden dat een stuk minder harmonieus was, dat is alles."

„Oké, maar je trok je terug en dat voelde ik als een afwijzing. We zijn misschien door de gebeurtenissen in ons leven wat extra gevoelig, dat is niet erg als we het maar van elkaar accepteren." Hij trok haar weer opnieuw in zijn armen en drukte een kus op

haar kruintje. „Wil je dat ik verder ga met mijn verhaal?"
Iris knikte en nestelde zich dieper in zijn armen. „Goed, we kregen
Niels en waren een jaar of drie zielsgelukkig met elkaar. Toen op
een ochtend voelde Ankie een knobbeltje in haar borst," hij zuchtte even heel verdrietig, „en dat was het begin van een nieuw tijd-
perk, een tijd van hoop en angst. Binnen een jaar was er alleen nog
maar angst de hoop was verdwenen. Niels was bijna vier toen ze
stierf. Hij herinnert zich vaag hoe zijn moeder was maar soms
komt hij opeens met uitspraken over Ankie aan waar ik me over
verwonder."

„Het kan zijn dat kinderen scherper waarnemen en dichter bij de
dood staan of zoiets," zei Iris wat verlegen omdat ze verbaasd was
zo'n uitspraak te doen, dat was normaal niets voor haar.

„Het zou kunnen Iris," antwoordde Peter peinzend. „Maar goed,
een zus van mijn moeder is weduwe en zij bood aan de huishou-
ding en de zorg voor Niels op zich te nemen als ik er niet was. Dat
betekende een enorme geruststelling voor me want ik wist me
geen raad hoe ik al die problemen moest oplossen. Ze woont een
paar huizen bij mij vandaan, en als ik thuis ben of in de vakanties
gaat ze gewoon naar haar eigen huis. Ook overdag is ze een paar
uur thuis want zoals ze zegt, anders verliest het huis zijn ziel en dat
wil ik niet, logisch vind ik. Dat is in vogelvlucht hoe mijn leven er
uitzag. Niels is een makkelijke jongen en dol op tante Pieta. Verder
heb ik een huishoudelijke hulp voor vier ochtenden in de week,
want ik kan niet van mijn tante verlangen dat ze dat er ook nog bij-
doet. Pieta kookt voor ons drietjes en gaat als ik geen oppiepdienst heb naar huis. Om half acht 's morgens is ze weer present."

„Het is in ieder geval allemaal goed geregeld. Dat zal niet altijd het
geval zijn, dat maak jij natuurlijk ook geregeld mee in je praktijk.
Maar hoe gaat het verder, kun je tijd vrij maken om bijvoorbeeld
een keertje bij mij te komen eten?"

„Ja, dat is in zo'n situatie gauw een probleem," zei Peter voorzichtig. „Hij is nu met Pieta en een vriendje naar de dierentuin en dat
gaf mij de gelegenheid om met jou af te spreken. Maar normaal
verwacht hij dat ik mijn vrije tijd met hem doorbreng."

„Tja…" klonk het langgerekt, „dan blijft er niet veel speelruimte over. Hoe wil je dat oplossen…?"

„Mm, daar heb ik dagenlang over lopen piekeren en ik kom er niet erg uit moet ik je zeggen. Kijk, Niels gaat voor alles daar heeft hij recht op. Maar ik wil jou ook niet kwijt dus zal er inderdaad een oplossing gezocht moeten worden. Een punt is ook dat ik hem niet wil confronteren met een nieuwe vrouw in mijn leven voor er sprake is van een toekomst samen. Er zijn al genoeg kinderen die een trauma oplopen van de nieuwe moeders en vaders die tijdelijk aanwezig zijn. Een kind kan zich gaan hechten aan die persoon en wordt dan opnieuw teleurgesteld."

„Of zo'n kind probeert de ander weg te pesten, dat gebeurt evengoed," zei Iris op vinnige toon.

„Oké, dat gebeurt ook wel eens," suste Peter. „Maar hoe sta jij tegenover dit alles?"

„Ik kan er wel begrip voor opbrengen maar dat geeft nog geen oplossing voor het probleem hoe het verder moet met onze relatie, als je het al zo kan noemen."

„Zeker staan we aan het begin van een relatie," klonk het kortaf.

„We komen er wel uit denk ik. Misschien klinkt dat wat te optimistisch maar ik meen het wel. Ik praat er eerst met Pieta over als je het goed vindt want ik leg dan weer extra beslag op haar privé leven. Maar nu gaan we wat eten want ik rammel zo langzamerhand, en dan mag jij onder het eten iets over jouw huwelijksleven vertellen." Hij stond lenig op en trok haar overeind in zijn armen. „Je hebt nog niet veel gezegd lieverd, het valt ook niet mee om in zo'n lastige situatie terecht te komen dat begrijp ik echt wel."

Iris gaf er geen antwoord op en wreef even haar wang tegen de zijne.

„Vind je het goed dat ik het verhaal over mijn volwassen leven voor een andere keer bewaar?" vroeg Iris onder het eten. „Ik moet het allemaal een plaatsje zien te geven en voor vandaag is het wel genoeg. Houdt het overigens ook in dat ik je niet thuis mag bellen?"

„Ja natuurlijk wel, ik vertel Niels van de week dat ik een lieve vrouw heb leren kennen en dat hij op een keertje er kennis mee mag maken. Dan kan hij er vast aan wennen en Pieta helpt hem er wel bij."

„Overdrijf het niet wil je, want zo'n lieve vrouw ben ik echt niet, Roos kan je daar alles over vertellen."

„Ik ga liever op mijn eigen gevoel af Irisje, je hebt een lage eigen- dunk heb ik gemerkt en dat is nergens voor nodig. Je bent goed zoals je bent. En lach eens tegen me, je kijkt zo ernstig, het komt allemaal goed dat beloof ik je."

Kijken of je na mijn verhaal er nog zo over denkt dacht Iris wat cynisch. Ze legde haar hand over de zijne en keek hem met een grijns aan. „Sorry Peter maar lief lachen is niet mijn specialiteit, ik heb er zelfs moeite mee gevoel in mijn woorden te leggen, dat moet je toch gemerkt hebben."

„Je bent een boeiende persoonlijkheid en ik houd nu eenmaal niet van kwezeltjes, oké? En nu praten we over wat anders!"

Het eten smaakte hen prima en na een verrukkelijk toetje reden ze ieder met hun eigen auto weer naar huis. Het was elf uur toen Iris haar sleutel in het slot stak en naar binnen wilde gaan. Maar helaas werd ze door Rosie opgewacht. „Je hebt het wel uitgehou- den," zei ze staande in de deuropening van de keuken, „kom je nog even wat drinken?" Nu had Iris daar totaal geen zin in maar ze begreep dat haar dag wat eenzaam geweest moest zijn. „Goed maar niet te lang, ik moet morgen weer vroeg op." Ze liep met Rosie naar binnen die gelijk druk bezig was een wijntje in te schenken. „Was het gezellig, en wat hebben jullie afgesproken, blijven jullie elkaar zien? Het lijkt me met het oog op dat jochie wel een onmogelijke zaak." Ze keek Iris met een linke, maar zoge- naamd lieve blik aan. Maar Iris trapte er niet in: „Dat is onze zaak Roos en wees maar niet bezorgd het komt echt wel in orde. Wat heb jij vandaag gedaan, nog visite gehad?" gooide ze het gesprek over een andere boeg.

„Ja, Bruno is met Brigit en de kinderen geweest. Hij was enorm verbaasd dat jij met onze huisarts op sjouw was, hij vond het niets voor jou."

46

„Lekker over me geroddeld lieve zus? Het was in jullie ogen natuurlijk geen roddelen maar bezorgdheid om jullie diep gezonken zus. Bedankt voor de wijn Roos, maar liever voortaan zonder een zure nasmaak."

Wat mankeerde Roos toch? mijmerde Iris toen ze in bed lag, zo hatelijk en jaloers kende ze haar niet. Ze zei altijd het beste voor haar te willen maar als er dan sprake was van wellicht een stukje geluk voor de toekomst haalde ze het onderuit.

„Heb je het met die Peter al over jouw verleden gehad?" vroeg Rosie onder het eten de volgende avond.

„Wat zeur je toch over mijn verleden, het lijkt wel of ik een tippelaarster ben geweest. Die Peter, zoals jij hem noemt, komt namelijk niet uit een ei waarde zuster. De man heeft mensenkennis genoeg en daar kun jij misschien zelfs nog wat van leren." Alle ongenoegen werd tegenwoordig onder het eten uitgesproken en als het zo doorging bleef Iris voortaan liever bij zichzelf.

„Praat je met hem ook op zo'n lieflijke manier, daar heeft hij echt zo genoeg van hoor! Ja, kijk maar niet zo kwaad, die man heeft genoeg in zijn leven meegemaakt aan ellende en verdriet, en daarom gun ik hem een lieve vrouw en moeder voor zijn zoon."

„Roos wat ben jij een gemeen serpent geworden, of misschien was je dat altijd al en heb ik dat niet geweten. Je slaat me wel hoog aan hè, het is echt niet te geloven. Het komt me voor dat jullie me liever in de goot zien want dan kun je je ach en wee aan me kwijt. Maar dat ik misschien de kans krijg voor het eerst in mijn leven gelukkig te worden dat is iets wat me kennelijk niet gegund wordt. Ik heb geen trek meer Roos, de lust om gezellig met je te eten is me wel vergaan. Ik heb spijt hierin getrokken te zijn dat kan ik je wel vertellen, veel gezelligheid heb ik nog niet met je gehad." Iris schudde verdwaasd haar hoofd en gooide haar servet op tafel.

In haar eigen huis belde ze Pam waaraan ze het hele verhaal vertelde. „Ben ik nou zo blind geweest Pam dat ik haar op een voetstuk heb geplaatst? Tijdens die griepperiode heb ik haar al van een andere kant leren kennen, en ik moet zeggen dat ik er aardig genoeg van krijg. Ik had nooit bij haar moeten gaan wonen en dat heb ik haar ook gezegd."

„Dan had je Peter ook niet ontmoet suffie," klonk het nuchter aan de andere kant. „Ja, nu val je stil hè? Wat doe je trouwens komend weekend, ga je met Peter weg?"

„Nee, zover zijn we nog niet, hij brengt zijn vrije tijd met zijn zoon door. Kom als je wilt hierheen, ik haal wat lekkere dingen in huis en dan maken we het ons gezellig. Het weer is nog goed en met een trui aan is het best lekker om buiten te zitten."

Het weekend begon goed. Pam had ook het een en ander om te smullen meegenomen en algauw zaten ze met een beker koffie en een verrukkelijke moorkop in de tuin. „Jouw kant van de tuin ziet er tegenwoordig ook erg gezellig en fleurig uit. Krijg je van zus Roos wel eens iets uit haar tuin aan groenten en fruit?"

„Als ze in een goeie bui is wel. De aardbeien waren erg lekker en nu is het de tijd van de aalbessen en bramen. Het is nog geen grote oogst maar Roos heeft groene vingers, eerlijk is eerlijk. Haar tuin kan zo in een tijdschrift en ze was erg in haar nopjes toen ik dat tegen haar zei. Nu zou ik er wel met een spuit onkruidverdelger overheen willen gaan, maar ach, die arme plantjes kunnen er ook niets aan doen." Ze zweeg want haar geliefde zus kwam haar deel van de tuin in. „Uh," kuchte ze wat nerveus, „morgen komt Bruno met zijn gezin voor de barbecue, het is misschien de laatste mooie zondag. Als jullie zin hebben zijn jullie van harte welkom. Ze komen rond vier uur." Zonder antwoord af te wachten ging ze de tuin weer uit. Pam en Iris keken elkaar aan en proestten zachtjes achter hun hand. „Wat doe je?" vroeg Pam even later toen ze uitgelachen waren, „zullen we maar gebruik maken van de uitnodiging. Ach joh, ze heeft zichzelf niet gemaakt moet je maar denken, en iedere gek heeft zijn gebrek."

Opnieuw schoten ze in de lach en alle ingrediënten waren aanwezig om de slappe lach te krijgen. De telefoon ging en haar tranen afvegend nam Iris op. „Met Iris…"

„Hai met Peter, hoe is het met je?"

„Wel goed, en met jou?"

„Prima... zeg ik heb een voorstel... Niels speelt morgen bij een vriendje van school en hij mag daar ook blijven slapen. Ze hebben een tent in de tuin en dat vindt hij prachtig. Dus als je verder geen plannen hebt kunnen we samen eropuit trekken."

„Ik had het erg leuk gevonden Peter, maar Pam is hier het weekend en Roos heeft ons morgen voor de barbecue uitgenodigd, mijn broer en zijn gezin komen ook. Weet je wat, kom morgenochtend gezellig hierheen en ga dan mee naar Roos. Je kan dan gelijk met iedereen kennis maken en dan heb je dat ook weer gehad."

Ze klonk zo hoopvol dat Peter niet durfde te weigeren al had hij weinig zin in een familiebijeenkomst. Daar was hun relatie eigenlijk nog niet aan toe. Maar Iris moest ook genoegen nemen met zijn beperkingen in de relatie dus moest hij van zijn kant ook wat water bij de wijn doen. „Oké," klonk het toch wat aarzelend, „moet ik nog een bijdrage leveren aan het feest?"

„Breng een fles wijn mee dat is altijd goed, hoe laat kan ik op je rekenen?"

„Om een uur of drie, dan kan ik nog even wat achterstallige administratie wegwerken."

„Gezellig, ik vind het dapper dat je het aandurft," giechelde ze even. „Nee hoor, ik plaag je maar wat, ik vind het erg fijn. Tot morgen dan!"

„Tot morgen lief!"

Poeh, weer dat woordje 'lief', laat Roos het maar niet horen.

„Was dat je vriendje?" plaagde Pam, „je ziet er ineens zo gezond uit met dat kleurtje."

„Dat is van de zon, Pammetje. Hij komt morgen om een uur of drie hierheen en prikt een vorkje mee bij ons Roosje. Vind je het erg vervelend nu je hier bent?"

„Daar kom je wel erg laat mee," proestte Pam. „Als ik het wel vervelend vind bel je hem dan af?"

„Hè irritant mormel," Iris pakte haar glas waar nog wat water inzat en goot dat over Pam's rode krullenbol. Die liet zich ook niet onbetuigd en draaide de sproeier Iris' kant op. Die gaf van schrik een gil en toen was het hek van de dam en een heus waterballet volg-

49

de. Rosie kwam op het gegil af en kreeg, per ongeluk of niet, een straal midden in haar gezicht. Maar ze had kennelijk een vrolijke bui want ze deed van harte mee totdat ze alledrie kleddernat waren.

„Ik ga wat droogs aantrekken, komen jullie zo wat bij mij in de tuin drinken dat zou ik erg gezellig vinden." Rosie verdween in het huis en Iris keek haar met een frons na. „Het is net een kameleon, ik kan echt geen hoogte van haar krijgen. En waarom moeten we nu altijd wat bij haar drinken, ze is maar zelden aan deze kant, en bij me komen eten doet ze al helemaal niet. Ik heb geen zin om naar haar toe te gaan, ik zeg wel dat we aan het eten moeten beginnen."

„Ze komt inderdaad maar zelden naar deze kant," zei Pam peinzend, „waarom eigenlijk niet?"

„Ja dat moet je mij vragen," reageerde Iris spottend, „mijn zusters hersenspinsels zijn mij duister. Maar kom nu naar binnen dan bel ik haar wel even."

„Oké," zei Rosie tam toen Iris haar belde, „maar het waterballet was leuk." Ze legde neer en Iris voelde zich vreemd onvoldaan. Hoewel Roos de laatste tijd beslist niet aardig was geweest kreeg ze het toch voor elkaar de ander een schuldgevoel te geven. Het was te gek voor woorden en Iris besloot het verder te negeren.

„En," vroeg Pam toen Iris de kamer weer inkwam, „ging zuslief ermee akkoord?"

„Nee niet echt, maar daar moet ze maar aan wennen, morgen zijn we er tenslotte ook." Iris legde alle spullen op het aanrecht voor de nasi en Pam kwam haar helpen. Al snel rook het verrukkelijk en terwijl Iris het vleesgerecht doorroerde zette Pam de borden op de eetbar. De rijst was ook klaar en er kon opgeschept worden. Het gemak van de eetbar was dat alles op de inductieplaat kon blijven staan want normaal koelde chinees eten heel snel af.

Na de afwas trokken ze een warme trui aan en gingen met de koffie nog even in de tuin zitten. Rosie liet zich die avond niet meer zien.

HOOFDSTUK 3

Peter stopte voor het huis en bleef nog even nadenkend in de auto zitten. Hij zag er tegenop naar binnen te gaan en deel te nemen aan de barbecue. Het ging hem allemaal te snel, en al kon Pieta nog zo haar hoofd schudden dat hij zich te afwachtend opstelde hij voelde zich er niet prettig bij. Iris die de auto had gehoord kwam de voortuin in en bevreemd bleef ze bij de auto staan. Ze tikte tegen de ruit en Peter opende het portier. „Je laat me schrikken," zei ze terwijl ze hem een kus gaf, „ik dacht dat je niet goed geworden was. Kom gauw mee iedereen is er al." Peter stapte uit en nam de fles wijn en de bloemen van de achterbank.

Hij liep achter Iris naar de voortuin en ademde even diep in toen hij al het gekrakeel hoorde. Een paar jonge kinderen renden door de tuin en liepen hen haast ondersteboven. „Hé rustig jullie!" Iris ving hen op en hield ze even stevig bij hun armen vast. „Wie is die meneer tante I?" vroeg de ondeugende Sandra. Ze kortte graag alle namen af, behalve die van haarzelf.

„Deze meneer heet Peter Kramer. Geef hem maar netjes een hand." Kevin deed het keurig maar Sandra keek hem met glinsterende pretogen aan. „Hallo meneer P ik heet Sandra."

„Hallo Sandra, mogen we nu naar de anderen toe of breng je ons eten op een bordje hiernaartoe."

„Natuurlijk niet gekkie," lachte ze en trok hem aan zijn hand mee. Peter trok een grimas naar Iris en liet zich braaf aan zijn hand meenemen. Direct ving hij de verbaasde blik van Rosie op die kennelijk niet van zijn bezoek op de hoogte was gebracht.

„Iris kom je even mee?" vroeg ze op gebiedende toon het aan Peter overlatend zich aan de anderen voor te stellen.

„Wat moet hij hier, je had me wel eens mogen waarschuwen," bitste ze.

„Doe niet zo dwaas Roos, je weet best dat we met elkaar omgaan dus waarom zou hij hier niet mogen komen?"

„Omdat we met familie onder elkaar zijn, nou ja op Pam na, maar die behoort er zo langzamerhand ook bij."

„En Peter gaat er ook bij horen," meldde Iris opstandig, „of je het leuk vindt of niet."

„Bah, je verpest de stemming weer zoals gewoonlijk met je gekke fratsen." Ze draaide zich woest om en liep de tuin weer in. Iris haalde wat moedeloos haar schouders op en wilde ook naar buiten gaan maar Pam kwam binnen. „Maak je maar geen zorgen Peter valt goed in de smaak, hij zit met Bruno een boom op te zetten over het nut van digitale kabel-tv. Trek je van Roos maar niets aan, die is gewoon jaloers al weten we geen van beiden waarom. De kinderen zijn ook niet bij hem vandaan te slaan, die proberen almaar zijn aandacht te krijgen."

De vriendinnen trokken een stoel bij en mengden zich in het gesprek. Twee verbaasde gezichten werden naar hen toegedraaid, zo van; wat weten jullie nou hiervan. „Meisjes ga je toch met het eten bezighouden," zei Bruno op spottende toon, „dit is toch niets voor jullie!"

„Kom meiden," lachte Brigit, „laat de jongetjes maar dromen, ze weten niet beter." Giechelend gingen ze met zijn drieën de keuken in om het vlees en de salades op te halen. Rosie had alles al op de tafel gezet. „Jullie mogen de rest voor jullie rekening nemen ik heb al genoeg gedaan dacht ik zo!" De anderen keken elkaar lachend aan toen Rosie koninklijk de keuken uitschreed.

„Zou die griepvirus nog steeds rondwaren, ze is echt de oude Rosie niet," fluisterde Brigit.

„Ik weet het ook niet meer," verzuchtte Iris, „ik kan geen goed meer bij haar doen."

„Stil laten sudderen, ze komt er wel overheen," stelde Brigit haar gerust.

Uiteindelijk kwamen de heren uit hun stoel en verzorgden het vlees terwijl de vrouwen al het andere eten op de grote tafel zetten. „Aanvallen," brulde Kevin en wilde zich al op het eten storten maar Rosie stak daar snel een stokje voor.

„Rustig gaan zitten aan de tafel die voor jullie is gedekt. Pappa brengt zo het vlees en mamma maakt jullie borden verder klaar."

Met gemelijke gezichten zaten ze met hun armen over elkaar op de tafel geleund te wachten tot ze eindelijk aan de beurt waren.

„Valt het je een beetje mee?" vroeg Iris zachtjes aan Peter toen Bruno het eten naar de kinderen bracht. „Je zag er geloof ik erg tegenop, hè?"

"Ja nogal, maar het zijn aardige lui en de kinderen zijn wel druk maar erg spontaan. Roos is de enige dissonant in het gezelschap."

„Staan jullie gezellig over mijn zus te roddelen," grapte Bruno die de laatste woorden had opgevangen. „Nu je toch hier bent dokter Peter, weet jij waarom mijn zus na de griep zo is veranderd?"

„Ik denk niet dat het met die griep heeft te maken maar meer met mijn persoontje en het feit dat ik in je andere zus ben geïnteresseerd. Roos vindt het op de eerste plaats geen pas geven dat ik als haar huisarts hier aanwezig ben, en daar kan ik me ook wel iets bij voorstellen."

„Nou ik niet," protesteerde Iris met iets te luide stem.

„Wat niet?" Rosie was erbij komen staan en keek van de een naar de ander. „Bevalt het je niet dat ik de aanwezigheid van mijn huisarts niet op prijs stel? Nee dat doe ik zeker niet, hij hoort niet thuis in de intieme familiekring."

Nu werd het gesprek algemeen en iedereen bemoeide zich ermee. Peter voelde zich aardig onbehaaglijk worden als middelpunt van de discussie.

„Ophouden nu," raasde Bruno, „kom op met jullie borden dan kunnen we het vlees erop doen. Peter help je even? Laat je niet op de kast jagen door Roos," zei hij kortaf, „en dat is wat ik zoeven bedoelde. We kennen onze hartelijke en zorgzame zus niet meer terug. Ze is normaal tegen ons heel lief en aardig maar zogauw Iris verschijnt gaat het mis. Ik snap echt niet meer waarom ze erop stond dat ze bij haar kwam wonen. En het meest bizarre is dat Iris ook is veranderd maar dan wel in haar voordeel."

„Jullie zijn geloof ik een aardig ingewikkelde familie, maar ik zit er niet echt mee. Het is alleen voor Iris zo sneu. Die mag niet laten zien dat ze blij is met de relatie die we hebben, gelukkig heeft ze Pam die trekt de boel wel weer recht."

„Ja, dat is een toffe meid. Maar ik ben blij voor Iris, dat mag je best weten, zo'n leuk leven heeft ze niet gehad. En dat ze daardoor de weg een beetje was kwijtgeraakt... ach dat kan de beste overkomen. En dat was een van de redenen dat Roos haar onder haar vleugels wilde hebben."

Peter zweeg want wat Bruno hem vertelde was nieuw voor hem. Eerlijkheidshalve moest hij toegeven weinig of niets van Iris' verleden af te weten daar waren ze nog niet aan toegekomen. „Ik wil er niet verder over praten Bruno, we staan nog aan het begin van onze relatie en weten nog niet veel af van hetgeen we beiden hebben meegemaakt."

„Sorry kerel dat wist ik niet," zei Bruno geschrokken, bang dat hij teveel had gezegd.

Ondanks de onderhuidse spanningen verliep de avond gezellig en was het middernacht toen iedereen opbrak.

„Kom een keertje met Iris bij ons eten," inviteerde Bruno Peter bij het afscheid. „Ja jullie zijn altijd welkom," voegde Brigit er hartelijk aan toe.

Iris liep met Peter naar zijn auto en bleef tegen het portier geleund staan. Ze sloeg haar armen om zijn hals en keek hem met scheef gehouden hoofd vragend aan. „Het was wel een vuurdoop hè?" probeerde ze hem uit zijn tent te lokken. Maar Peter ging er niet op in. „Ik bel je morgen Iris, welterusten, het was een welbestede avond." Hij kuste haar stevig en stapte in.

Nadenkend zwaaide Iris hem uit, zijn stemming was vreemd geweest en dat maakte haar onrustig. „Blijf je hier staan?" vroeg Pam, „kom joh dan drinken we nog wat bij Roos."

„Nou liever niet, ik heb genoeg Roos gehad vanavond, ik ga naar mijn eigen stekkie."

„Je kunt haar toch niet met alle troep laten zitten... ik begrijp je reactie wel maar zet dat nu even opzij. Ach kom op!"

„Nee Pam, ik lever me niet over aan een hatelijk slaapmutsje. Er broeit de hele avond al iets en ik heb geen zin in weer een ruzie met mijn geliefde zus. Wat jij doet moet jij weten maar ik haak af."
Ze liep haar eigen huis in en liet het aan Pam over een beslissing te nemen.

Rosie die wel begreep waarom Iris verstek liet gaan was Pam dankbaar voor haar hulp. Ze had niet het lef ergens over te beginnen en na een kleine drie kwartier was de boel aan kant. In de tuin was alles al door de mannen opgeruimd. „Bedankt Pam en welterusten." Rosie gaf haar een hartelijke kus en deed de deur achter haar op het nachtslot.

In gedachten liep Pam naar de andere kant. Waarom kon Roos aan de ene kant zo hartverwarmend zijn en aan de andere kant en dan vooral tegen Iris zo hatelijk en lelijk.

„Heb je nog ergens trek in?" vroeg Iris die in haar badjas naar beneden kwam.

„Ja en je raadt nooit waarin!"

„Nou verras me dan maar."

„In een beker warme chocolademelk," grijnsde Pam.

„Nou ja, en dat na de barbecue… ach wat, ik heb er eigenlijk ook wel trek in. Ga jij de douche in dan maak ik het klaar en neem het mee naar boven."

Er werd niet meer over de afgelopen avond gesproken maar over hun tienertijd en wat ze daarin hadden beleefd. Die plotselinge nostalgie kwam kennelijk door de warme chocolademelk.

Het mooie weer was echt afgelopen en de herfst kondigde zich aan met stevige windvlagen en regen. Rosie en Iris hadden de tuin al voor zover mogelijk was winterklaar gemaakt maar er bloeiden nog volop bloemen. De warme nazomer had daarvoor gezorgd.

Op een avond ging de telefoon en kreeg Iris de tante van Peter aan de lijn. Die vroeg haar of ze zin had een middag naar haar toe te komen, ze wilde graag kennis met haar maken. Enigszins verwonderd had Iris toegestemd. De relatie met Peter was nog niet erg veranderd en Iris maakte zich daar zorgen over. Na de barbecue kon hij haar af en toe zo peinzend gadeslaan dat ze er kriebelig van werd. Als ze dan vroeg wat er was zei hij zich nergens van bewust te zijn. Daarom had ze in de visite bij Pieta toegestemd want misschien kon ze door haar wat wijzer worden over het gedrag van Peter.

De begroeting tussen de beide vrouwen was hartelijk en van het ijs te moeten breken was geen sprake. Na een kwartier vroeg Pieta haar iets over zichzelf te vertellen. De informatie die Peter haar op de avond van de barbecue had gegeven was heel summier geweest.

„Op zich is het natuurlijk logisch dat Peter zich niet over jullie relatie uitlaat want dat is privé, maar aan de andere kant ziet hij er evenmin gelukkig uit. En op de een of andere manier is Niels daar een beetje de dupe van. En begrijp me goed dat is geen verwijt naar jou toe." Pieta schonk de kopjes nog eens vol en leunde toen ontspannen achterover in haar stoel.

„Ik begrijp er net zo min wat van," aarzelde Iris. „Hij wil het rustig aandoen maar ik weet eerlijk gezegd niet wat hij daarmee bedoelt. Toen ik hem naar Niels vroeg vertelde hij dat hij hem niet eerder met mij wilde laten kennismaken voordat hij er zeker van was dat de relatie stabiel was. Dat begrijp ik wel maar wanneer vindt hij de relatie stabiel? Voorlopig zit er weinig schot in en na de barbecue is er zelfs sprake van een verkoeling."

„Mm... die indruk kreeg ik ook. Kan iemand hem iets hebben verteld waar hij van is geschrokken, sorry dat ik het zo formuleer."

„Ik zou het niet weten. Roos is de enige die zich daaraan zou kunnen bezondigen maar die is nauwelijks met hem alleen geweest. En zoals jij het formuleert wekt het de schijn dat ik een duister verleden zou hebben, en dat heb ik echt niet. Maar goed, als het de situatie zou kunnen helpen wanneer ik iets over mijn verleden vertel dan wil ik dat wel doen." Zo zakelijk mogelijk vertelde Iris iets over haar jeugd en het gezin waarin ze was opgevoed. Dat deed ze ook over haar huwelijk met Stef. „Ik was niet iemand die door het stof ging voor de ander en het beetje genegenheid dat er nog over was verdween toen bleek dat Stef een ander had. Het verhaal is cliché voor deze tijd en daar zit ik verder ook niet mee. De enige waar ik altijd een goede band mee heb gehad is mijn vriendin Pam. Die vertrouwde ik volledig en die bleef mij als enige trouw wat ik ook uitspookte. En dat is denk ik waar het in dezen om draait. Wie er uit de school heeft geklapt weet ik niet maar daar kom ik wel achter," zei ze fel.

„Ho ho, zo'n vaart zal het wel niet lopen al is Peter wel iemand waar normen en waarden bovenaan het lijstje staan."

„Nou dan kan ik de relatie wel schudden," klonk het grof, „een maatschappelijk voorbeeld ben ik zeker niet geweest. En om meteen een eind aan dit vragenuurtje te maken... Ik ging na mijn scheiding naar, zoals Pam het noemde, dubieuze feestjes waar de alcohol rijkelijk vloeide en waar een goede joint ook niet uit de weg werd gegaan. Aan beiden heb ik me regelmatig bezondigd en ben ik vaak onvast ter been thuis gekomen. Let wel, met een taxi want zoveel normbesef had ik nog wel. De laatste tijd maakte Pam zich grote zorgen omdat ik er niet al te florissant uit begon te zien en zelfs de make-up waar ik zeer bedreven in ben het niet meer kon verbloemen. Mijn zus heeft daar kennelijk lucht van gekregen en begon een offensief; Ik neem jou onder mijn hoede en breng je op het rechte pad." Bitter vervolgde ze: „ik dacht dat ze het goed bedoelde en heb er na lang aarzelen in toegestemd, ook omdat ik wel begreep dat het niet langer zo door kon gaan. Maar uiteindelijk is daar niet veel van terechtgekomen, zeker nu ik met Peter omga. Tijdens en na haar griep is ze veranderd. En was ik in het verleden de hatelijke en onverdraagzame zus, nu zijn de rollen vaak omgedraaid." Iris stond op en ging voor het raam staan, het gesprek had haar meer aangegrepen als dat ze voor mogelijk had gehouden. Ze voelde zich alsof ze voor de rechter stond en wacht-te op het vonnis 'geen omgang meer met Peter'. Ze voelde een troostende hand op haar schouder: „Sorry Iris, dit was niet de opzet van mijn uitnodiging. Ik wilde jullie graag een helpende hand aanbieden maar niet een veroordelende. Iedereen verwerkt de dingen die hij heeft meegemaakt op zijn eigen manier, en wat goed of niet goed is kun je alleen zelf beoordelen. Je huwelijk heeft je niet gelukkig gemaakt en je manier van leven daarna even-min. Ik krijg sterk de indruk dat je je hele leven eenzaam bent geweest en dat niemand je daarbij heeft kunnen helpen."

„Nee," zei Iris getroffen door de woorden van Pieta, „je hebt denk ik gelijk, maar waarom zijn Bruno en Roos er dan wel in geslaagd?"

„Dat weet ik niet," zei Pieta eerlijk, „misschien hebben zij een wat minder gecompliceerd karakter. En misschien hebben zij een betere wederhelft getroffen. Bovendien ben jij de middelste en hebt twee kanten van de opvoeding gezien. Roos is vijftien jaar enig kind geweest totdat jij werd geboren. Je ouders wilden een zoon vertelde je en tja, daar kon jij niet aan voldoen. Roos vond het heerlijk om te moederen en je ouders lieten het gemakshalve aan haar over. Een paar jaar later werd Bruno geboren en hij werd de lieveling van iedereen, ook van je ouders. Tenminste dat heb ik uit je verhaal begrepen."

„Dat heb je goed gezien Pieta. Ik viel tussen de wal en het schip en leefde zoveel mogelijk mijn eigen leven. Ik denk dat ik wel om iedereen gaf maar groeide evenmin uit tot een warme persoonlijkheid, dat had ik gewoon niet in me."

„En nu… ben je nu wel een warme persoonlijkheid?"

„Ik weet het niet," verzuchtte Iris, „ik weet het eerlijk niet. Soms denk ik van wel, bijvoorbeeld toen Roos ziek was had ik er geen enkele moeite mee om haar te verzorgen. Zij was de eerste waar ik dat voor deed. Zelfs haar moeilijk zijn nam ik op de koop toe want wie was ik om daar wat van te zeggen. Ik was normaal degene die hatelijk en scherp was. Ik realiseer me nu dat ik, als Stef ziek was, hem min of meer aan zijn lot overliet. Ik vond hem kinderachtig als hij wat mankeerde. Ik was egoïstisch en vond dat ik recht had op veel aandacht, en die gaf hij mij de eerste jaren ook. Toen dat minder werd verloor ik mijn belangstelling voor hem en begon hij mij te irriteren met zijn regeltjes en wetjes. Nou dat was het dan!" Ze waren inmiddels weer gaan zitten en Iris keek Pieta uitdagend aan zo van; zeg er eens iets van ik lust je rauw! Pieta schoot hartelijk in de lach toen ze de defensieve uitdrukking op het gezicht van haar gast zag.

„Ik ben blij met je vertrouwen," zei ze weer ernstig, „er is moed voor nodig om zo diep te gaan. Zo zijn we weer aangekomen bij ons uitgangspunt, Peter. Peters leven heeft altijd een kabbelend karakter gehad totdat Ankie ziek werd. Excessen zijn hem vreemd al komt hij daar in zijn praktijk natuurlijk wel mee in aanraking. Hij verbaast zich voor wat zijn werk betreft nergens over en handelt zoals een goed arts betaamt, maar voor zichzelf legt hij de lat hoog." Peinzend keek ze Iris aan die er meteen op inhaakte. „Oké, dan is het einde verhaal, ofwel het einde van de nauwelijks begonnen relatie."

„Zo zou ik het niet willen stellen. Ik weet niet waar hij van op de hoogte is, maar dan nog, hij geeft veel om je dat merk ik aan alles. Hij is gewoon bang om een relatie aan te gaan. Als je hem weer ziet vraag dan in ieder geval wat er aan de hand is, en praat het uit voor zover het op dat moment mogelijk is. Gooi niet zoals hier meteen alles op tafel maar kijk eerst hoe hij reageert. Hij zal er wellicht later met mij over willen praten, vind je dat erg? In de tijd met Ankie was ik ook zijn vertrouweling."

„Ik vind het best, je komt bij me over als iemand die de realiteit onder ogen ziet en eerlijk je oordeel geeft. Ik heb geen spijt van mijn biecht. Het is ook wel eens prettig met iemand te praten die nog blanco is wat mijn verleden betreft." Er werd gebeld en even later kwam een vrolijk donker jongetje de kamer binnen. „Oh tante Piet heeft u visite?"

„Ja liefje, dit is Iris."

Niels gaf haar netjes een hand en keek haar trouwhartig aan. „Een Iris is toch een bloem tante Piet?" vroeg het jongetje verwonderd.

„Ja jochie maar het is ook een meisjesnaam, haar zus heet Roos."

„Wat gek," giechelde het kind. „Heeft u ook een broer en heeft die dan ook een bloemennaam?"

„Ik heb wel een broer," lachte Iris, „maar die heet Bruno."

„Net als de hond van mijn vriendje," zei de onverbeterlijke Niels.

„Zo is het wel genoeg Niels," berispte zijn tante hem, „ga je handjes maar wassen dan maak ik wat lekkers voor je klaar. Papa heeft avonddienst dus eten we gezellig hier."

„Blijft u ook eten?" vroeg het kind aan Iris, „ hé toe zeg ja!"

Iris keek Pieta aan die hartelijk knikte: „Wat mij betreft is het prima, ik vind het ook gezellig als je blijft."

„Leest u me dan voor, ik heb veel boeken hoor!" Hij rende de kamer uit en kwam even later met een stapeltje boeken aan.

„Hij heeft hier ook een eigen kamertje," lichtte Pieta haar gast in, „als Peter nachtdienst heeft of naar een congres moet is het voor mij prettiger in mijn eigen huis te zijn. Zodoende hebben we hier een kamertje voor hem ingericht."

Het werd een gezellige maaltijd en Niels zijn mond stond geen ogenblik stil. Hij was vrij in zijn doen en laten maar niet brutaal. Hij accepteerde Iris met het gemak van een kind dat er vanuit gaat dat iedereen hem goed gezind is. Iris vond het vermakelijk en dacht heimelijk hoe Peter zou reageren als hij het wist. Pieta wist natuurlijk best waarom hij zijn zoon angstvallig voor Iris verborgen hield, maar ze was kennelijk niet van plan daar aan mee te werken.

Bij het vertrek van Iris liep Niels mee naar de deur en gaf haar spontaan een kus. Hiermee had hij voorgoed een plaatsje in haar hart veroverd. Met een warm gevoel stapte ze in haar auto, nagezwaaid door tante en neefje en reed naar huis.

Zachtjes opende ze haar deur bang dat Roos haar zou horen en vragen waar ze was geweest. Iris wilde wat tijd voor haarzelf om na te denken over de wonderlijke visite. Met een grote mok koffie krulde ze zich even later op in haar stoel.

Een week na het gesprek met Pieta ontmoette ze Peter weer. Iris was vast van plan de raad van Pieta op te volgen en een gesprek met Peter aan te gaan. Ze zaten in de auto en keken naar de zee die behoorlijk onstuimig was. Woeste schuimkoppen beukten tegen de basaltkeien en af en toe sproeide een fontein waterdruppels eroverheen. Iris was degene die de stilte verbrak. „Mag ik vragen wat er aan de hand is? Je bent zo afwezig de laatste weken. Heb ik iets verkeerds gezegd of gedaan?"

Inwendig beefde ze maar ze liet niets merken.

„Nee niet echt, maar soms weet je niet waar je goed aan doet," gaf hij toe. Het klonk weinig hoopvol vond Iris.

„Wat bedoel je daarmee, het klinkt wel erg dubbel. Luister Peter, we zijn allebei al eens getrouwd geweest en we zijn geen pubers meer. We gaan al een aardige tijd met elkaar om maar er zit nog steeds weinig schot in. Ik vraag me af of je wel een relatie met me wilt." Ze begaf zich hiermee op gevaarlijk terrein maar het was niet anders. Er moest toch een keer duidelijkheid komen.

„Dat is het niet," klonk het moeizaam, „ik geef echt veel om je, maar ik weet nog zo weinig van je af."

„Nou ik zou zeggen vraag maar raak," zei Iris laconiek. „Maar wat ik me wel afvraag Peter, heeft iemand jou iets lelijks over mij in je oor gefluisterd tijdens de barbecue?"

„Iets lelijks, nee dat niet. Maar je broer zei wel iets wat me aan het denken heeft gezet."

„O ja, en wat zei hij dan," ongewild was haar toon toch weer scherp.

„Het kwam erop neer dat je wel wat geluk verdiende, want dat je het in het verleden niet zo fijn had gehad, en dat je daarna de weg een beetje was kwijt geraakt was wel te begrijpen. Zo formuleerde hij het ongeveer. Het hield me bezig omdat ik niet zo goed kon volgen wat hij ermee bedoelde."

„En je ging er kennelijk vanuit dat het wel heel negatief zou zijn, je wordt bedankt Peter."

„Wie zegt dat nou," reageerde hij in zijn wiek geschoten, „ik wil alleen van jou horen wat het is geweest."

„Dit lijkt op een verhoor en daar trap ik niet in. Ik ben beslist geen lief schattig meisje geweest noch een volgzame echtgenote dat is wel duidelijk. Wat verlang jij eigenlijk van een relatie? En waar mag ze zich volgens jou niet aan hebben bezondigd in het verleden?" hoonde Iris, „man uit welke tijd stam jij?"

„Mijn moraal is tijdloos. Maar als je het weten wilt... drugs en overmatig alcohol gebruik, en uiteraard, relatie hoppen."

„Gut zeg, wat een modern woord gebruik je daar, relatie hoppen. Maar nogmaals ik ga niet in op dit verhoor. Kom er zelf maar uit, en voor nu... adieu Peter. Praat eens met je tante die is heel wat menselijker dan jij, geliefde huisarts van zielige alleenstaande vrouwen, zoals mijn zuster."

Iris liep naar haar auto terwijl de tranen over haar wangen rolden. Niet van schaamte over haar verleden maar van teleurstelling, de zoveelste.

Iris gooide de huisdeur met een knal in het slot en Rosie die het hoorde dacht er het hare van. Ze geloofde niet dat ze ruzie hadden gehad want daar kon haar zus wel mee omgaan, nee het moest erger zijn, het was vast uit. Ach ja dacht ze schouderophalend, Peter was ook geen man voor haar, dat had ze haar al snel duidelijk gemaakt. En tja, wie niet horen wil moet voelen, en zo is het? Iris zette de verwarming hoog en kroop met een warme pyjama en badjas aan op de bank. De beker chocolademelk hield ze in haar koude handen en tegen haar wang. Ze had het koud, koud van ellende. Peter was de eerste man in haar leven waar ze echt verliefd op was geworden en van hem was gaan houden. Voor het eerst had ze zich een andere vrouw gevoeld, liefdevol en bereid zich helemaal te geven. En dat had niets met seks te maken want zover waren ze niet eens gekomen. Bij het licht van een paar kaarsen overdacht ze de maanden dat ze met elkaar waren omgegaan. Ze hadden gekust en gepraat en zich geborgen bij elkaar gevoeld. Iris likte de tranen van haar trillende lippen. En toch geloofde ze niet dat dit het einde van hun relatie was.

Ook Peter reed met een verdrietig en onvoldaan gevoel naar huis. Zijn tante paste op Niels die in zijn eigen bedje lag dit keer. Zonder zijn tante te begroeten zakte hij met een chagrijnig gezicht in zijn stoel.
„Zo vrolijke neef van me, je laatste oortje versnoept?" Pieta wist best waar de schoen wrong maar ze weigerde ergens naar te vragen. Hij was al heel boos geweest dat ze het lef had gehad Iris zonder zijn medeweten uit te nodigen, en dan ook nog zijn zoon met haar te laten kennismaken. Duidelijk had hij haar gezegd zich niet met zijn leven te bemoeien. En dat deed ze dus ook niet meer! Ze stond op om een kop koffie in te schenken en informeerde terloops of hij er misschien ook trek in had.

„Ja geef me maar een bak," klonk het opstandig, „je moet ergens je troost vandaan halen."

Pieta lachte fijntjes en zette even later voor ieder een beker koffie neer. „Je vocabulaire gaat er niet echt op vooruit Peter Kramer," berispte ze hem.

„Nee vast niet, dat komt ervan als je je inlaat met randfiguren." Hij schrok en liet bijna zijn koffie vallen toen Pieta ineens uitviel.

„Zeg ben je helemaal betoeterd," raasde ze, „ik mag me nergens mee bemoeien maar dit gaat me toch te ver. Ik hoef niet te vragen over wie je het hebt, meneer de moralist. Is je sneeuwwitte zieltje geraakt door wat een ongelukkig mens kan doen? Schaam je!"

„Wat weet jij dan allemaal van haar? Mij maakte ze namelijk niet wijzer."

„Haar heeft een naam en nog wel een mooie ook."

„Tuurlijk… de trotse Iris, een bloem met karakter. En wat voor karakter," mompelde hij zachtjes.

„Oké," met een beslist gebaar zette Pieta haar beker op de salontafel. „Bemoeienis of niet, ik kan niet aanzien dat twee mensen ongelukkig zijn vertel dus maar wat er mis is gegaan."

„Eigenlijk niets. Ik had tijdens de barbecue haar broer een paar opmerkingen horen maken die me aan het denken hebben gezet. Toen ik Iris ermee confronteerde gaf ze me koeltjes te kennen niet op een verhoor, want dat was het volgens haar, in te gaan. Op haar vraag wat ik in het verleden van een vrouw niet zou tolereren gaf ik te kennen dat drugs, alcohol en wisselende contacten absoluut onaanvaardbaar waren."

„Ik hoor het je zeggen lieve jongen, jij bent je vader ten voeten uit. Dat was ook zo'n moralist, maar toen hij de vijftig was gepasseerd telde dat ineens niet meer. Ik hoor hem nog zeggen dat je met je tijd moest meegaan en dat het bij het tijdsbeeld hoorde," schamperde Pieta.

„Als mijn moeder niet zo'n droogstoppel was geweest voor wie liefdadig werk en vrouwenbijeenkomsten het grootste goed was in haar leven was pa er nooit met een ander vandoor gegaan."

„Joh laat naar je kijken! Je moeder was nooit een droogstoppel geweest, zoals jij zo liefdevol beweert, als je vader haar wat meer respect had betoond en aandacht had gegeven. Hij vond zichzelf altijd zo belangrijk ondanks zijn schijnbaar minzame houding. En hoeveel ik ook om je geef, als je niet oppast ga je dezelfde kant op. Je hebt een goed huwelijk met Ankie gehad, maar je moet nooit twee zo verschillende mensen met elkaar vergelijken. Maar vertel mij eens, houd je eigenlijk wel van Iris?"

„Hè wat…" gefronst keek hij op.

„Ik vroeg of je van Iris houdt."

„Ik dacht het wel, maar we kennen elkaar te kort om er zeker van te zijn."

„Dacht je het of denk je het, je bent niet erg duidelijk mijn jongen. En jullie gaan lang genoeg met elkaar om om dat zeker te weten. Jij bent degene die steeds in alles de boot afhoudt, en dat weet je zelf ook wel."

„Jullie hebben aardig over mij gekletst hè?" de frons werd almaar dieper.

„Niet alleen over jou. Beeld je maar niets in. Iris vermoedde dat ze een harde dobber aan je zou krijgen als ze je over haar verleden zou vertellen. Bovendien trok je je steeds meer terug nadat haar broer zijn mond voorbij had gepraat. Ze heeft me toestemming gegeven het jou te vertellen en dat doe ik dus bij deze."

„Liever niet," zei Peter hautain, „ik ben niet benieuwd naar allerlei sappige details." Hij stond op om naar boven te vertrekken maar de stem van Pieta hield hem tegen.

„Ga zitten jij en je luistert naar wat ik je te vertellen heb."

In sobere bewoordingen schetste ze een beeld van het leven dat Iris had geleid, zowel in haar huwelijk als erna. En elke keer als hij haar in de rede wilde vallen hief ze haar hand en legde hem het zwijgen op. Aan het eind van haar relaas gaf ze hem de raad naar boven te gaan om alles eens rustig te overdenken. „Neem geen overhaaste beslissingen, en schort je oordeel op totdat een zekere Peter Kramer van zijn zelf opgerichte voetstuk af kan stappen. Daarna verklaar ik je tot een echt mens," voegde ze er met humor achteraan. Ze gaf hem een kus en duwde hem naar de gang.

„Poeh, wat een stijfkop," zei ze en bracht de bekers naar de keuken, „arme Iris, het verleden is kennelijk voor jou nooit voorbij."
Toen ze in bed lag, ze had geen zin meer om naar haar eigen huis te gaan, overdacht ze nog even het gesprek. Wat heeft een mens toch vele gezichten. Als huisarts was Peter niet te evenaren, altijd vol begrip hoe bizar een situatie ook kon zijn. In zijn huwelijk was hij duidelijk het baasje geweest maar hij had vol liefde en toewijding zijn vrouw tot het laatste toe verzorgd. Als vader deed hij het ook prima en Niels kon altijd op hem rekenen, hij ging voor alles. Maar wat Iris betreft was hij een groot vraagteken. Wat bezielde hem... ze was ervan overtuigd dat hij van haar hield... waar was hij dan bang voor? Pieta zuchtte en wist natuurlijk het antwoord wel. Peter was bang dat zijn zoon een te vrije en moderne opvoeding zou krijgen als hij met Iris trouwde. En dat alcohol en een joint op zijn tijd geen schade zou opleveren. Hij had kennelijk weinig vertrouwen in de persoon die ze nu was. Ze hoopte van harte dat hij Iris en zichzelf de kans zou geven gelukkig met elkaar te worden. Pieta vond Iris een prachtmeid die onder de beschermende laag van verdediging een warm en liefdevol karakter verborg.

Kerstmis naderde en de decembermaand was nat en guur. Rosie was weer een en al lieflijkheid naar Iris toe nu de relatie verbroken leek te zijn. Ze had haar zus weer voor zich alleen en kon haar troosten en vertroetelen. Iris liet het zich aanleunen en had niet door wat de onderliggende gedachten waren van haar zus. Pam liet af en toe een lichte waarschuwing horen maar Iris ging er niet op in. Ze at iedere dag bij Rosie en ging pas om een uur of tien naar haar eigen huis. Geen enkele teleurstelling in het verleden had zo'n impact op haar gehad als de afwijzing van Peter. Ze werd stiller en deed haar werk in de salon met steeds meer tegenzin. Haar collega's keken haar soms met verwondering aan want zo kenden zij Iris niet.
Rosie verheugde zich als een kind op de komende feestdagen. Ze had Bruno en zijn gezin uitgenodigd en ook Pam. Pam kwam een

paar dagen voor kerst want ze had vakantie en met zijn drieën tuigden ze de boom op en versierden ze het huis. „Versier je ook je eigen huis?"vroeg Pam aan Iris en reikte haar een doos met zilveren slingers aan.

„Nee geen zin, ik ben toch de meeste tijd hier."

Pam kreeg een beetje genoeg van haar somberheid: „als je zo ongelukkig bent waarom vecht je dan niet voor je relatie?"

„Om dan weer afgewezen te worden, ik dank je feestelijk." schamperde ze, „ik ga echt niet op mijn knieën voor hem."

„Nee vooral niet doen, je kunt beter wegkwijnen als een bosje viooltjes onder een laag sneeuw. Jee, waar is die strijdlustige Iris gebleven die zich door niemand de wet liet voorschrijven?"

„Ook begraven onder de sneeuw met de viooltjes," antwoordde Iris macaber en schoot toen in de lach.

„Hè hè, je bent er weer, gelukkig! Kom op joh, zet je schouders eronder. Ik ben ervan overtuigd dat als Peter voor jou bestemd is het vanzelf goed zal komen. Let maar op mijn woorden."

„Ja wijze Pam, je moet je een glazen bol aanschaffen dan verdien je er ook nog wat mee. Maar je hebt gelijk, ik moet deze dagen niet vergallen door somber te zijn. Ik wilde alleen dat mijn vader en moeder ook eens deze kant uitkwamen, ze hebben ons huis nog niet eens gezien!"

„Ach ja, zo zijn ze nu eenmaal, er blijft altijd wat te wensen over," memoreerde Pam.

„Als dat de enige wens is dan teken ik daar voor."

„Ja hoor daar gaan we weer, en nu ophouden anders laat ik je de buitenverlichting alleen ophangen." Zo kibbelden ze genoeglijk nog een tijdje verder tot Rosie er een einde aan maakte door met glazen glühwein en amandelbroodjes binnen te komen.

Iris had de raad van Pam opgevolgd en had ook haar huis versierd zij het dan zonder kerstboom. Bakken met rode kerststerren en kunstig versierde kandelaars met rode kaarsen. Alles rood en groen en Iris vond het bijna jammer dat ze allebei de dagen bij Roos zou zijn. Pam zou de volgende dag ook weer present zijn en Iris was benieuwd wat ze van de toch wel feestelijke aankleding zou zeggen. Alleen de eigengemaakte krans op de deur ontbrak nog, en toen ze die wilde ophangen liet ze hem haast van schrik uit haar handen vallen. In het gelige licht van de buitenlantaarn stond Peter diep in de kraag van zijn jas gedoken en met zijn handen in zijn zakken.

„Joh je laat me schrikken, hoelang sta je hier al?" vroeg Iris bezorgd naar zijn koude gezicht kijkend.

„En halfuurtje. Ik stond net moed te verzamelen om aan te bellen toen ineens de deur openging. Mag ik binnenkomen?" vroeg hij zachtjes.

„Ja natuurlijk, sorry!" Iris sloot de deur achter hem. „Geef je jas maar en ga bij de verwarming zitten je ziet er echt verkleumd uit. Wil je koffie of wat pittigs?"

„Koffie maar, ik heb oppiepdienst." Peter wreef zijn handen en blies er even in, dat was niet alleen om ze te verwarmen maar ook om zich een houding te geven.

Iris kwam terug met de koffie en had hem vanuit het keukengedeelte gadegeslagen. Ze wist niet of ze blij moest zijn want de uitdrukking op zijn gezicht was niet erg bemoedigend.

Het bleef even stil en toen Peter zich wat had opgewarmd begon hij aarzelend te praten. „Het spijt me dat we zo abrupt uit elkaar zijn gegaan en ik je niet de kans heb gegeven je verhaal te doen." Verkeerde zin dacht hij nerveus, zo ziet ze zich nog steeds als een beklaagde. „Sorry, verkeerd geformuleerd, ik vind het heel moeilijk een begin te maken."

Iris had een beetje medelijden met hem en kwam hem halverwege tegemoet.

„Ik neem aan dat je met Pieta hebt gesproken." Peter knikte en rilde even.

„Ik had het uiteraard fijner gevonden als we dit samen hadden besproken. Je gaf me het gevoel een afgekickte verslaafde te zijn die nog beoordeeld moest worden. En dat was nog niet alles…"

„Nee ik weet het. Ik vergeef me mijn uitspraken nooit en wat me bezield heeft…? Ik was denk ik gewoon bang me te binden. Ik voelde me erg onzeker in de relatie ook al gaf ik veel om je. Mijn verstand en mijn gevoel speelden constant krijgertje met elkaar, dat klinkt idioot maar het voelde wel zo. Jij was zekerder in datgene wat je wilde en ook daar had ik moeite mee."

„Mm, het meest heeft me dat relatiehoppen getroffen, alsof..."

„Sst, alsjeblieft... ga niet verder ik schaam me al genoeg."

Weer rilde hij. „Wil je bij me komen zitten?" vroeg hij smekend.

Aarzelend stond Iris op ze wilde het hem ook weer niet al te gemakkelijk maken. Aan de andere kant had ze toch wel begrip voor zijn onzekerheid wat de opvoeding van zijn zoon betrof. Er gingen al genoeg kinderen op jonge leeftijd de mist in. Het milieu waaruit je kwam was niet altijd doorslaggevend in zo'n geval. Ze ging naast hem zitten en vleide zich toen tegen hem aan. Stevig sloot zijn arm om haar heen en hij legde zijn hoofd in haar hals. Hij voelde nog steeds steen-koud aan en ze nam zijn hand tussen haar handen en wreef hem warm. Zwijgend en dicht tegen elkaar aan trokken langzaam de rillingen uit zijn lijf en nam hij haar warmte in zich op. Op de een of andere manier waren uitleg en woorden overbodig. Hun overgave naar elkaar vond stilzwijgend plaats.

Peter was de eerste die de stilte verbrak. „Ik houd van je Iris, ik wil er niet langer tegen vechten het is ook niet meer nodig. Ik ben wat jou betreft heel erg kortzichtig geweest en dat spijt me. Er speelde zoveel door mijn hoofd dat ik niet goed meer wist hoe de werkelijkheid eruitzag. Een slap excuus misschien maar het is wel de waarheid. Weet je trouwens dat Niels aan Pieta heeft gevraagd wanneer die mevrouw met die bloemennaam weer kwam, ze kon zo leuk de dieren nadoen bij het voorlezen. Mijn zoon is een stuk wijzer dan zijn vader," besloot hij met een diepe zucht.

Iris lachte zachtjes en met haar arm om zijn middel schudde ze hem zachtjes door elkaar. „Je bent af en toe een zwartkijker Petertje maar het zij je vergeven. Wat doen jullie eigenlijk met de feestdagen?"

„Ja dat is ook zo'n punt, ik wilde thuisblijven en het met Pieta en Niels vieren maar dat is mijn zoon kennelijk te saai. Bah zei hij, dan ga ik wel naar mijn vriendje daar komen een heleboel mensen en ook kinderen. Zijn kinderen geen mensen probeerde ik nog leuk te doen maar daar trapte hij niet in."

„Pam en ik vieren het bij Roos en ook Bruno met zijn gezin komt. Haar huis is net een kerstsprookje en daar hebben Pam en ik aan meegewerkt om het zo te krijgen. Jullie komen natuurlijk ook inclusief Pieta. Roos zal het er niet mee eens zijn maar dat is dan jammer."

„Het is wel haar huis," zei Peter zachtzinnig, „je kunt haar niets verplichten."

„Je weet best dat ze elke vriend van me zou afkeuren zoveel begrijp ik er nu wel van, het waarom is me echter nog steeds duister. Maar oké, ik confronteer haar er morgen mee en dan kan ze kiezen of delen, of jullie zijn welkom of ik ben er dan met kerst niet bij. Maar zover komt het niet geloof me. Maar moet jij niet naar huis het is al na twaalven?"

„Mm… ik heb permissie gekregen van Pieta om de nacht weg te blijven," hij lachte verlegen, „ik hoop alleen dat er geen spoedgeval tussenkomt."

„Nou ja," grijnsde Iris, „de wonderen zijn de wereld nog niet uit. Heb jij even mazzel dat Pam morgen pas weer komt." Ze kroop wat dieper in zijn armen en hief haar mond uitnodigend naar hem op. Peter had geen verdere aansporing nodig en kuste haar met een felheid die beiden verbaasde. Rusteloos bewogen zijn handen zich over haar rug en sloten zich toen om haar gezicht om haar nog intenser te kussen. Iris maakte zich toen van hem los en trok hem aan zijn hand uit de bank. „Kom mee naar boven," zei ze hees. Ze blies de kaarsen uit en sloot de deur achter hen.

Het verleden werd vergeten, alleen het heden telde. Iris koesterde zich in zijn tederheid en zijn verlangen om haar te laten ervaren dat liefde en seks een samengaan is van twee mensen die van elkaar houden. Voor het eerst werd er met haar verlangens en gevoelens rekening gehouden en was het geen enkelvoudige daad van lust en bevrediging.

Halverwege de nacht werd Iris wakker en ze was even bang dat het maar een droom was geweest. Maar gelukkig lag Peter nog naast haar, en op haar elleboog geleund keek ze naar zijn ontspannen gezicht en hoorde ze zachte snurkgeluiden. Met voorzichtige vingers streek ze over zijn wangen en lippen en drukte er toen zacht een kus op. Glimlachend om zijn gesmak alsof hij iets lekkers had geproefd draaide ze zich weer om en viel ogenblikkelijk in een diepe slaap.

De ochtend was een herhaling van de nacht maar nu zonder de haast van de eerste keer. Het werd een eindeloze verkenning van twee lichamen en hun gevoelens voor elkaar. Na een hele tijd rekte Iris zich loom uit en stapte uit bed om voor het ontbijt te gaan zorgen zodat Peter zich kon gaan douchen.

„Morgen hebben we bij mijn vader afgesproken en tweede kerstdag bij mijn moeder," vertelde Peter tijdens het ontbijt. „Ik vind het erg jammer maar daar kan ik niet onderuit. Pieta gaat wel mee naar mijn moeder maar niet naar mijn vader, die twee liggen elkaar niet erg."

„Het is oké jongen, je ouders hebben ook recht om jou en Niels te zien. Ik ben zielsblij dat het tussen ons in orde is."

„Anders ik wel." Peter nam over de tafel heen haar handen in de zijne en kuste een voor een haar vingertoppen wat bij Iris een plezierig gevoel in haar onderbuik bewerkstelligde.

„Ik moet gaan mijn schat, laat me even weten of ons Roosje met de invasie akkoord gaat."

Iris liep met hem naar de auto en het afscheid nam ook weer aardig wat tijd in beslag. Ze zwaaide hem uitbundig na en liep toen rillend het huis in, want ze was zonder jas naar buiten gegaan en daar was het het jaargetijde nog niet voor.

„Eerst koffie," zei ze even later tegen zichzelf, „en dan maar zien of ik de doornen van onze Roos kan ontwijken. Jammer dat Pam er nog niet is om me bij te staan." Haar alleenspraak was amper ten einde en koffie had ze zeker nog niet toen de deur openvloog en een ziedende Rosie op de mat stond. „Heb ik het goed gezien dat die Peter vanmorgen jouw huis uitkwam?"

„Dat heb je goed gezien Roos en ook goedemorgen. Ik dacht dat we een afspraak hadden niet zomaar bij elkaar binnen te vallen... Wil je ook koffie?"

„J… jij bent geschift weet je dat? Eerst laat hij je barsten en nu kruipt hij in je bed. Je bent echt verachtelijk, bah!" ze spuwde het woord haast uit.

Iris beheerste zich met moeite en hield de buitendeur wijd open: „Eruit, kerst of niet, wegwezen jij. Wie denk jij in hemelsnaam wie je bent, mijn oppasser?"

„Inderdaad ja, je oppasser. En denk maar niet dat hij of wie dan ook er met kerst bij mij inkomt." Met grote passen liep Rosie de tuin door, nageroepen door Iris dat het juist wel de bedoeling was, en dat ze op drie mensen meer moest rekenen. Inwendig bevend sloot Iris de deur en hield zich met de koffie bezig. Ze stak de kaarsen aan en ging met haar beker in het hoekje van de bank zitten. Ze probeerde het geschreeuw van Roos uit te bannen door heel sterk aan Peter te denken. Waarom moest Roos toch altijd alles verpesten, wat bezielde haar toch? Al die tijd was er geen lievere zus dan Roos, en nu… wilde ze dan echt dat ze alleen bleef en ongelukkig was?

Helemaal uit haar doen belde ze Bruno en legde hem uit wat er was gebeurd. Hij was heel blij voor haar dat het weer goed was met Peter. „Maak je maar geen zorgen zusje," zei hij lief, „ik maak het wel met de grote boze wolf in orde. Zeg maar tegen Peter dat ze alledrie welkom zijn, oké?"

Iris bedankte hem uitbundig en liet hem Brigit en de kinderen een kus geven. Ze had niet het idee dat het voor haar broer een makkelijke klus zou worden ook al kon hij bij Roos gewoonlijk wel een potje breken. Een roffel op de deur kondigde Pam aan. Vlug deed Iris open en trok haar vriendin enthousiast naar binnen.

„Zo," zei die verbaasd, „ben ik welkom of zo!" Ze gooide haar jas op een stoel en plofte ongegeneerd op de bank. „Waar heb ik dit warme welkom aan te danken?"

„Alsof je normaal niet welkom bent," pruttelde Iris die een beker koffie voor haar neerzette.

„Ja, maar toch…" Onderzoekend keek ze haar vriendin aan. „Wat is er gebeurd, je kijkt beteuterd maar je ogen stralen. Laat me raden…" Pam drukte haar vinger tegen de top van haar neus en deed alsof ze diep nadacht. „Stralende ogen... Peter is terug... mm, beteuterd gezicht... Roos is op oorlogspad. Goed geraden?"

„Ja, maar hoe kun je dat nu raden zonder er iets vanaf te weten?"

„Je bent tegenwoordig een open boek Iris, en er zijn maar twee mensen die je van de wijs kunnen brengen en dat zijn Peter en Roos. Positief of negatief dat maakt niet uit. Ik begrijp alleen niet dat je die jojobuien van Roos nog langer pikt."

„Oké, je hebt het geraden, maar wat moet ik dan? Ik woon naast haar en als ze weer aardig doet kan ik haar slecht weerstaan. Stom, ik weet het, maar het is en blijft mijn zus. Maar luister," opgetogen vertelde ze dat Peter gisteravond een half uur voor de deur had gestaan om moed te verzamelen om aan te bellen. Gretig deed ze verslag zonder intieme details prijs te geven natuurlijk. Pam was heel blij voor haar, net als Bruno, want ook zij had altijd verwacht dat het weer goed zou komen. Peter had alleen meer tijd nodig gehad dan Iris en dat was ook logisch.

„En ja, nu staat Bruno voor de moeilijke taak mijn zus ervan te overtuigen dat het niet meer dan normaal is dat ze Peter, Niels en zijn tante uitnodigt. Helemaal normaal is het natuurlijk niet want Roos is vrij uit te nodigen in haar huis wie ze wil. Maar haar gedrag heeft niets te maken met het wel of niet gastvrij zijn, en dat weten we allemaal. Ik dacht dat ik gecompliceerd in elkaar stak maar mijn zus wint het toch echt. Die heeft geen twee maar tien gezichten."

Een uurtje later belde Bruno dat het in orde was maar dat voorzichtigheid geboden was. „Wees niet te klef met Peter anders hebben we een kerst-Roos in de boom."

Iris schoot in de lach: „Wees maar niet bang want Peter heeft zijn zoon nog niet ingelicht dus zijn we gewoon allemaal vriendjes die dag."

„Gelukkig," zuchtte Bruno, „dat is een pak van mijn hart. Ik moest je door de telefoon een dikke knuffel van Brigit geven want die is helemaal in de wolken. Ze mag jouw vriendje graag en ze vindt het ook leuk voor de kinderen als Niels er is. Nou de groetjes en tot overmorgen."

„Tja, dat is gelukkig opgelost maar dat wil nog niet zeggen dat we Roos nu op de koffie kunnen vragen," zei Iris ietwat bekommerd. „Dat wordt toneelspelen en je weet ik val zo uit mijn rol."

„Vrede op aarde Irisje, en je weet, aan de mensen van goede wil!" ze proestten het uit bij de zalvende stem van Pam. Die relativeerde alles zo heerlijk en dan leek het zwaarste conflict gelijk een stuk lichter.

Eensgezind gingen ze Roos die dag uit de weg en bepaalden zich tot het boodschappen doen voor kerst. Roos had hen een paar dagen terug een lange lijst meegegeven en opgewekt togen ze naar Den Haag om daar hun boodschappen te doen. Ook moesten er nog cadeautjes worden gekocht voor de extra gasten. Het werd een oergezellige en ontspannen dag, en moe maar zeer voldaan keerden ze om vijf uur terug naar huis. Daar lag een briefje van Roos of ze de boodschappen bij haar wilden brengen en ze konden desgewenst blijven eten.

„Zullen we desgewenst de grote sprong wagen?" vroeg Iris, „maar voor hetzelfde geld verpest ze onze goede stemming van vandaag door haar doornen weer te laten voelen."

„Ach ja, laten we maar gaan, je bent happy nu en laat dat meespelen in je gedrag naar je zus. Ze kan je niets meer doen en dat weet jij maar zij ook. Het enige wat ze kan bereiken is dat ze jou voorgoed kwijtraakt en daar zal ze wel voor waken."

„Nou vooruit dan maar." Met de zware boodschappentassen togen ze richting Roos die de deur al had opengedaan. „Fijn, hebben jullie alles kunnen krijgen?" vroeg ze alsof er niets was gebeurd.

„Zo ongeveer. Geen gebak want daar zou Brigit voor zorgen." Iris ging zitten en liet het aan Pam en Rosie over de boodschappen uit te pakken.

„Wil jij de tafel even dekken Iris, we eten stamppot andijvie, jouw lievelingsgerecht."

Iris trok achter Rosie's rug een grimas naar haar vriendin, ging Roos op de slijm-slijmtoer?

Tijdens het eten hing er een bedrieglijk ontspannen sfeer die bij het weggaan teniet werd gedaan door Iris die Roos om uitleg voor haar uitval vroeg. „Wat heb je toch tegen Peter, ik begrijp jouw houding niet."

Pam was hoofdschuddend doorgelopen. Waarom kon Iris het nu niet voor één keer over haar kant laten gaan. Ze kende toch zo langzamerhand de nukken van haar oudere zus wel. Ze ging vast koffie zetten en hoopte maar dat het niet weer op ruzie uitdraaide. Na een goed kwartier kwam Iris de keuken in. „En?" vroeg Pam, „een staakt het vuren of de strijd opnieuw aangewakkerd?"

Het bleef even stil: „Ik neem de koffie mee snij jij de kokostaart even aan als je wilt? Roos heeft een andere huisarts genomen en daar kan ik me wel iets bij voorstellen. Het is niet echt kies om je door je aanstaande zwager te laten onderzoeken... alhoewel Peter beroepsmatig voldoende afstand neemt. Maar goed, ze accepteerde op verzoek van Bruno, die toch haar lieveling is, dat ze kwamen maar het was zeker niet van harte. Ze wilde verder niets zeggen over het feit dat Peter terug is, maar ze zei met samengeknepen lippen, wacht maar af, en dat klonk zeer onheilspellend. Ze is er kennelijk niet van overtuigd dat het blijvend is. Ik denk dat ik het maar zo laat en Peter uit onze gesprekken weglaat, ik heb geen zin om me steeds door haar te laten opfokken."

„Hè hè, eindelijk verstandig ik was al bang dat het nooit zou gebeuren. En nu geen woord meer over onze obsessieve Roos en laten we eendrachtig schaar, papier en lint te voorschijn halen en ons beperken tot het inpakken van de cadeaus."

HOOFDSTUK 4

Eerste kerstdag was een drie-sterren-dag, vertaald in hoge kwaliteit zowel wat de sfeer betrof als het diner, hapjes en alles wat de dag maar aangenaam kon maken.

Pam en Iris waren al vroeg van de partij en bereidden de koffieronde voor. Alles stond klaar toen de eerste gasten kwamen. Bruno en Brigit omhelsden iedereen en de kinderen vlogen naar de boom om te kijken of er wel genoeg pakjes onder lagen. Tevreden renden ze terug en vlogen alle tantes om hun nek. Brigit bleef even staan en genoot van de lichtjes, kaarsen en versieringen. Nergens was het smakeloos of overdadig, ja dat kon je met een gerust hart aan de artistieke Rosie overlaten. Bakken met kerststerren in alle kleuren, bloemstukjes op de tafels, wit aan de buitenkant en rood in de kern, prachtig. Trots verscheen Rosie met de theewagen waarop taarten en cakes stonden uitgestald. Brigit had haar best gedaan om de taarten zo mooi mogelijk op te maken. Voor de kinderen waren er speciale gebakjes met grappige versieringen en een kan warme chocolademelk.

Pam en Iris kwamen met de kannen koffie de kamer in toen de bel ging. Pam knikte naar Iris die de kan snel neerzette en zich naar de deur haastte.

Pieta kwam als eerste binnen en begroette Iris hartelijk door haar op beide wangen te kussen. Peter volgde haar voorbeeld en knipoogde schalks naar haar en gaf haar een extra kneepje in haar hand. „Pap nou ben ik aan de beurt hoor." Niels ging op zijn tenen staan en sloeg vertrouwelijk zijn armpjes om haar hals. „Ik vind het fijn dat we mochten komen," fluisterde hij haar in het oor. Iris kreeg er een warm gevoel van en gaf hem nog een extra kus op zijn bolletje.

„Kom maar gauw mee we hebben op jullie gewacht." Ze opende de deur naar de kamer en stelde Pieta en Niels aan iedereen voor. Peter kenden ze natuurlijk al van de barbecue. Wat verlegen kwamen Kevin en Sandra dichterbij om hun nieuwe vriendje te bekijken. Peter gaf de zak met cadeautjes aan Pam die ze zo onopvallend mogelijk onder de boom erbij legde.

Bij de kerstboom stond Roos die zich vriendelijk maar toch wat afstandelijk opstelde en heette de nieuwkomers welkom. Iris had Pieta telefonisch op de hoogste gesteld maar dat was niet nodig geweest want Peter had haar al ingelicht. Ze vond het heerlijk dat het tussen hen weer goed was want ze mocht Iris heel graag.

Onbevangen was Niels Rosie naar de keuken gevolgd. „Bent u die mevrouw met de andere bloemennaam?" vroeg hij op vrijmoedige toon. „Roos hè? Ik vind het mooie namen."

„Eigenlijk heet ik Rosie," antwoordde ze nog wat stug.

„Mag ik dan tante Roos zeggen dat vind ik best leuk." Niels keek haar vragend aan. Rosie had niet de moed het hem te verbieden want ondanks haar tegenzin in Peter vond ze zijn zoon een leuk joch. En ook Pieta viel haar in alles mee. Ze straalde een hartelijkheid uit waar je niet tegenop kon, al nam Rosie zich voor op haar hoede te blijven.

Niels was inmiddels naar Iris gerend, want gewoon lopen ging voor het grut kennelijk te langzaam, en zei trots dat hij tegen haar zus tante Roos mocht zeggen. „Dan mag ik u natuurlijk tante Iris noemen hè?" Iris knuffelde hem even en zei het een eer te vinden. Nu begreep Niels het woord eer niet erg maar hij nam aan dat het iets goeds betekende.

"Kom je met ons spelen?" vroeg Sandra die het kennismaken wat te lang vond duren. Niels knikte gretig en volgde haar naar een hoek in de kamer waar ook Kevin was. Ze hadden wat speelgoed meegenomen en Niels zijn favoriete auto's.

Pam zette de gebakjes en bekers choco op een tafeltje. „Tast toe jongens maar niet knoeien hè?" zei ze en gaf de kinderen een aai over hun bol.

„Wie is die mevrouw?" vroeg Niels zacht aan Kevin.

„Dat is tante Pam, de beste vriendin van tante Iris." verklaarde het joch met trots in zijn stem. „Ik denk dat je haar ook wel tante mag noemen want ze is heel aardig.

„Gosh, dan heb ik er drie tantes bij, gaaf hoor!"

„Je vergeet mijn moeder en vader," vermaande Sandra hem nuffig, „die zijn ook heel lief hoor!"

„Sorry," schrok Niels maar wist verder niets te zeggen.

„En mijn moeder heeft deze gebakjes voor ons gemaakt." Sandra vond kennelijk dat haar nieuwe vriendje wel wat dankbaarder mocht zijn.

Niels raakte er door in de war en bleef op zijn knietjes zittend stil voor zich uit kijken de wielen van zijn auto alsmaar ronddraaiend.

„Sufferd," fluisterde Kevin iets te hard, „Niels heeft geen mama meer."

„Ach wat zielig," Sandra keek Niels met tranen in haar ogen aan. Ze was een heel spontaan reagerend kind dat in de bres sprong voor alles wat zielig was in haar ogen.

Niels sprong op en rende naar tante Pieta en drukte zijn hoofd in haar schoot. „Wat is er lieverd kom maar even bij me zitten." Ze sloeg haar armen om hem heen en boog haar hoofd om te horen wat hij zei. Met zijn gezicht in haar hals gedrukt vertelde hij met horten en stoten wat er door de kinderen was gezegd.

„Ach kereltje toch," zei Pieta ontroerd en nam zijn gezichtje teder tussen haar handen. „Ze bedoelen het lief hoor en ze willen je zeker geen pijn doen maar blijf maar even bij me zitten als je dat liever doet." Niels knikte heftig en legde zijn hoofdje tegen haar aan.

De anderen hadden in de gaten dat er iets was misgegaan en Brigit ging even polshoogte nemen bij de kinderen die stil van hun gebakje knabbelden.

„Wat is er gebeurd jongens, hebben jullie gekibbeld?" Twee hoofdjes schudden heftig van nee en Kevin nam het op zich om verhaal te doen. „Sandra wist het niet mam maar toen werd Niels zo verdrietig."

„Erg hè mam dat hij geen moeder meer heeft," Sandra vloog in haar moeders armen zich er heel even van bewust hoe het moest zijn geen mama te hebben. Brigit streelde haar dochter over haar hoofd en stak haar andere hand naar Kevin uit. „Niels komt zo weer met jullie spelen oké?"

Ze stond op en voegde zich weer bij de anderen. Ze keek naar Niels die haar stilletjes vanonder zijn wimpers gadesloeg. Ze knikte hem lief toe en stak een hand naar hem uit. Verlegen gleed hij van Pieta's schoot en liep op haar toe. Ze was de enige moeder in het gezelschap en dat bracht hem danig in de war.

„Moeilijk hè manneke," zei ze zacht, „wil je weer naar de speelhoek? Sandra en Kevin vinden het zonder jou niet zo leuk meer." Niels knikte en wilde naar ze toe lopen maar Brigit hield hem even tegen. „Je mag tegen mij ook wel tante zeggen als je dat wilt, oké?" Opnieuw knikte Niels en zijn gezichtje kreeg weer een tevreden uitdrukking. Huppelend voegde hij zich bij de kinderen die hem direct weer bij hun spel betrokken. Tussen de volwassenen klikte het gelukkig goed en de gesprekken verliepen gezellig en geanimeerd. Dat Rosie als enige wat stiller was viel daardoor niet echt op. Maar toen Brigit even later met haar in de keuken was viel Rosie ineens uit tegen haar. „Ik word door iedereen in mijn eigen huis genegeerd. Oh ze hebben het zo gezellig met elkaar. Maar Rosie is niet belangrijk, die stelt alleen haar huis maar ter beschikking voor iedereen die denkt deel uit te moeten maken van deze familie." Ze doelde natuurlijk op Peter en Pieta.

„Vind je Pieta niet aardig?" vroeg Brigit, „ze betrekt je constant in het gesprek."

„Oh, dus ik moet het hebben van een vreemde die in mijn huis zo vriendelijk is me bij het gesprek te betrekken," viel Rosie opnieuw uit.

„Roos," zuchtte Brigit vermoeid, „houd nu eens op met dat negatieve gedoe. Wat is er toch in jou gevaren de laatste maanden… Ik ken je al zo lang en ik heb je altijd gezien als een zorgzame en warm voelende vrouw. Geniet toch van deze dag waar je zoveel moeite voor hebt gedaan. Ze vinden je net zo aardig als dat ze mij aardig vinden. Sluit je niet zo af Rozelientje." Ze sloeg haar armen om Rosie heen en gaf haar een hartelijke kus.

Het onderonsje in de keuken had gelukkig geholpen en Rosie deed werkelijk haar best een gezellige gastvrouw te zijn. Dat iedereen onbewust opgelucht adem haalde ging uiteraard aan haar voorbij.

Rond vijf uur ging het licht uit en met alleen het licht van de kerstboom en de vele kaarsen schoof Rosie de tussendeuren open om iedereen aan de kersttafel uit te nodigen.

De tafel was prachtig gedekt met in het midden een smaakvol kerststuk. De waskaarsen in de kristallen kandelaars verspreidden een zacht diffuus licht en dat gaf een extra glans aan het geheel. Voor de kinderen was er een aparte tafel gedekt dicht bij hun ouders. Hoewel er van overdadigheid geen sprake was werd juist het met uiterste zorg uitgekozen menu enorm gewaardeerd. Vier gangen met als sluitstuk speciaal voor de kinderen een ijstaart met daarop flonkerende sterretjes. Met handgeklap juichten de volwassenen en de kinderen Rosie toe die op dat moment ook straalde.

Na het eten werd alles wat kon bederven in de koelkasten gezet en schoof Rosie de tussendeur weer dicht. De rommel en het afwassen kwam morgen wel. Toen was het tijd voor de cadeaus. Eindelijk was het zover, de kinderen konden haast niet wachten tot ze alledrie hun eerste pakje kregen. Ze hadden onder elkaar afgesproken geen luxe of dure cadeaus te kopen, ook niet voor de kinderen. Gelukkig waren ze nog blij met kleine dingen en dat lag voor een groot deel aan de opvoeding. Vol trots lieten ze elkaar het speelgoed zien wat ze hadden gekregen. De volwassenen hadden lootjes getrokken en ook die cadeaus vielen gelukkig bij iedereen in de smaak.

Na de koffie met likeur stapte Bruno met zijn gezin op, en ook Peter met Pieta en Niels maakte een einde aan de gezellige dag. Er werd druk gekust en er werden dankwoorden uitgesproken in de eerste plaats naar Rosie die alle lof minzaam glimlachend in ontvangst nam. Haar kwam uiteindelijk de meeste eer toe vond iedereen terecht.

Iris liep nog even mee naar de auto van Peter.

„Bedankt Iris het was een fijne dag," Pieta kuste haar hartelijk en nam Niels vast mee de auto in. „Zo kunnen jullie even afscheid nemen ik hou Niels wel bezig," lachte ze ondeugend.

„Het viel mee hè liefje," Peter sloeg zijn armen vast om haar heen en kust haar innig. Met zijn lippen dwaalde hij over haar warme gezicht en opnieuw kuste hij haar teder.

„Ik ben Niels niet hoor, het mag wel wat heftiger," fluisterde Iris tegen zijn lippen. Dat liet Peter zich geen twee keer zeggen en dit keer had ze niet te klagen. Voor hij de auto instapte had hij vliegensvlug een kettinkje om Iris' hals gedaan. Toen ze nog wat wilde zeggen legde hij zijn vinger tegen zijn lippen. Ze wierp hem een kushand toe en ging weer naar binnen. Het kettinkje met het robijnen hartje liet ze onder haar bloes zakken. Ze vond het heel jammer dat ze Peter pas weer de dag voor oudjaar zou zien, maar ja het was niet anders.

Pam zou oud en nieuw bij haar ouders vieren en Rosie was door haar schoonzus Mathilde uitgenodigd. Het was nog niet zeker of Peter het bij haar zou vieren of in zijn eigen huis. Evenmin wist ze of Pieta van de partij zou zijn.

Rosie en Pam waren de boel aan het opruimen en met enige tegenzin kwam Iris hen helpen. Het liefst was ze met Pam naar haar eigen huis gegaan om gezellig wat na te praten.

Landerig zette ze kopjes en glazen op een blad en bracht het naar de keuken. „Kunnen we morgen niet de rest doen?" vroeg ze aan Rosie die er ook moe uitzag. Die stond met haar handen in haar zij de puinhoop te overzien.

„Ik denk inderdaad dat dat het beste is, ik kan geen pap meer zeggen. En voor er het een en ander sneuvelt kies ik daar dus ook maar voor. Laten we nog wat drinken en dan breken we op. Ik geef toe dat het een heel geslaagde dag is geweest," zuchtte Rosie voldaan. „Niels is een lief joch," zei ze er toen peinzend achteraan." Ze keek daarop naar Iris die veinsde haar blik niet op te merken.

„Het is zeker een lieve jongen en het was leuk om te zien hoe de kinderen met elkaar omgingen. Maar nu is het tijd Roos, ik val om van de slaap. Bedankt voor alles en geef morgen maar een belletje als je puin gaat ruimen. Hoe laat komt Mathilde?" Pam stond op en rekte zich hoorbaar uit.

„Met de lunch, dus hebben we alle tijd. Bedankt meiden en welterusten." Ze gaf hen allebei een kus en sloot de deur achter hen.

Tweede kerstdag was rustig en 's middags gingen Pam en Iris een stukje rijden. Ze waren van plan om naar Scheveningen te gaan om eens lekker uit te waaien. Het was koud maar droog weer en in de kragen van hun jas gedoken wandelden ze de pier op om in het restaurant koffie te gaan drinken. Het was gezellig druk zowel aan het strand als op de boulevard. Ook de pier werd druk bezocht, en aan het eind keken ze naar de golven die woest om de pilaren sloegen. Het water was zwart en een tikkeltje angstaanjagend vonden ze.

Ze hadden nog weinig nagepraat over eerste kerstdag want ze waren die avond als een blok in slaap gevallen. Bij de koffie met het uitzicht op zee begon Pam er als eerste over.

„Afgezien van een paar kleine onderstromingen is de dag erg goed verlopen vind je niet?"

„Ja," Iris roerde verwoed in haar koffie, „het viel voor Roos ook niet mee om er drie man extra bij te krijgen. Maar op de een of andere manier zal ik toch blij zijn als de feestdagen voorbij zijn. Er wordt emotioneel toch altijd wel een extra druk op je gelegd. Juist in deze dagen wordt duidelijk wie er alleen zijn of eenzaam of beiden. En ik geloof dat Roos op haar manier eenzaam is. Ik moet je zeggen dat ze me de laatste dagen een onrustig gevoel geeft. Ik weet niet waarom maar het maakt wel dat ik wat meer van haar kan hebben. Mathilde is van een ander kaliber en is veel sterker, ik ben blij dat die twee goed met elkaar omgaan."

„Wat heb jij ineens Iris, heeft de geest van kerst je te pakken?"

Iris schudde haar hoofd alsof ze een vijandige schim wilde verjagen. „Dat niet maar laten we het over wat anders hebben." Ze praatten nog even over Peter en zijn gezinnetje. Iris vroeg zich in stilte af welke plaats Pieta in zou nemen als zij op een gegeven moment bij Peter introk. Maar zover was het nog lang niet en ze wilde het ook absoluut niet overhaasten. Ze was blij dat het nu goed ging, en ze wist dat ze elkaar zoveel mogelijk de tijd moesten geven om aan de veranderde situatie te wennen.

Oud en nieuw zou echter anders verlopen als dat ze zich dat enigszins hadden kunnen voorstellen.

Iris was weer aan het werk en Rosie had die week nog vrij. Het was een dag voor oudjaar toen een angstige hulp van Rosie Iris op haar werk belde. Rosie was van de trap gevallen. Ze had de huisarts gebeld maar kreeg alleen een noodnummer. Ze wist niet wat ze moest doen, jammerde ze en was helemaal in paniek. „Even rustig adem halen," raadde Iris haar aan, „vertel nu eens precies wat er aan de hand is."

„Mevrouw wilde met een wasmand de trap afgaan, en hoe het is gebeurd weet ik niet maar ik hoorde een klap en een gil en toen lag mevrouw doodstil onder aan de trap."

„Beweegt ze nog... wat zie je aan haar?" Iris voelde dat ze ook in paniek raakte en probeerde uit alle macht rustig te blijven.

„Ik weet het echt niet," jammerde de hulp verder.

„Oké, blijf naast haar zitten en praat tegen haar. Ik bel dokter Kramer en kom zelf zo snel mogelijk naar huis. Laat haar in geen geval alleen en leg een dekbed over haar heen." Nadat ze had afgebeld belde ze Peter die zijn ronde deed in het Westeinde ziekenhuis in Den Haag waar een paar patiënten van hem lagen. Hij beloofde direct naar Roos toe te gaan en zou gelijk voor een ambulance zorgen.

Hoe Iris thuis was gekomen kon ze achteraf niet zeggen maar ze was er nog voor Peter. Toen die er eenmaal was ging het in een stroomversnelling. Rosie was nog steeds niet bij bewustzijn en Peter had haar een injectie toegediend. Op dat moment kwamen de broeders binnen, onderzochten haar voorzichtig en deden haar een halskraag om.

Binnen vijf minuten lag ze in de ambulance en was ook Iris op weg naar het ziekenhuis. De hulp die nog steeds over haar toeren was mocht naar huis gaan maar niet voordat ze een paar koppen koffie had gedronken en weer rustig was. Iris beloofde haar die avond te bellen.

Onderweg belde ze Pam en die zou vast naar haar huis gaan en daar op hen wachten.

Iris zat in de wachtkamer en voor haar gevoel duurde het onderzoek uren. Ze had al drie bekers koffie op maar ze werd er beslist niet rustiger van. Gelukkig had Pam er vanaf gezien om thuis op haar te wachten en kwam in vliegende vaart de gang op rennen. Ze vielen elkaar huilend in de armen. „Hoe is het met Roos?" snifte Pam ontdaan.

„Ik weet het niet, ik heb nog steeds niemand gezien, ook Peter niet." Iris klemde zich vast aan de arm van haar vriendin. „Weet je nog dat ik je vertelde dat ik tweede kerstdag zo'n rotgevoel over Roos had?"

Pam knikte bevestigend. „Laten we niet op de zaak vooruit lopen Iris, zolang we niets weten houden we de moed erin."

Het eindeloos wachten was voorbij toen Peter met een bezorgd gezicht de gang opkwam. Hij sloeg zijn armen om beiden heen: „Het is afwachten lieverds. Ze moeten nog een aantal onderzoeken doen maar zeker is wel dat haar ruggenmerg is beschadigd. In welke mate weten ze nog niet. Verder is ze nog niet bij kennis. Ik breng jullie even bij haar en dan kunnen jullie beter naar huis gaan, hier wachten heeft weinig zin. Direct levensgevaar is er niet maar ik houd jullie natuurlijk op de hoogte."

Peter bracht hen naar het kamertje waar een inwitte Rosie onbeweeglijk onder een dek lag. Iris beet op haar lippen en streelde haar zus over haar wang. Ze boog zich voorover en fluisterde in haar oor dat ze snel wakker moest worden en dat Iris voor haar zou zorgen. Dat ze niet goed wist wat ze beloofde daar kwam ze later wel achter.

Ook Pam gaf Rosie een kus en mompelde wat onduidelijks.

Met zijn armen om hen heen liep Peter mee naar de uitgang en gaf hen beiden een kus. „Pam wil jij rijden en sms even als jullie thuis zijn. Ik bel zogauw ik iets meer weet, oké?"

In stilte reden ze naar huis waar Pam onmiddellijk koffie ging zetten. „We kijken straks wel even in Roos haar huis en sluiten het af. Ga zitten Iris, hier heb je je koffie."

„Alweer koffie, ik krijg nog eens een cafeïnevergiftiging," zei ze wrang maar dronk het troostende vocht toch gehoorzaam op.

Om twaalf uur 's nachts kwam Peter nog even naar het huis van Iris. Hij vertelde dat ze Roos in een narcotische slaap hielden tot twee januari. Er waren te weinig specialisten beschikbaar met deze dagen, en het vereiste veel overleg om tot een daadwerkelijk plan te komen. Op deze manier liep Rosie het minste risico om nog meer te beschadigen door onverwachte bewegingen. Iris vond het maar een eng idee maar Peter stelde haar gerust omdat het als het nodig was wel meer toegepast werd. „Mogen we dan wel gewoon op bezoek gaan?" vroeg Iris hem.

„Ja natuurlijk, ga er naar toe en praat met haar. Het onderbewuste pikt heel veel op daar zijn ze langzamerhand wel van overtuigd, dus doe zoals je normaal zou doen. Maar ik moet nu naar huis, als er wat verandert belt het ziekenhuis mij en ik bel jullie, of ik haal jullie op, oké? O ja, door het ongeluk van Roos moeten we maar zien wat we met oudjaar doen. Maar dat bespreken we nog wel. Voor nu, ga naar bed en rust uit je zal er nog een zware taak aan krijgen ben ik bang."

Vermoeid leunde Iris een moment tegen hem aan: „Krijgen we wel de kans samen een toekomst op te bouwen, soms weet ik het niet meer. Het zit niet echt mee."

„Nee schat ik weet het, maar laat je bolletje niet hangen, voor alles is een oplossing moet je maar denken. En ga nu naar binnen het is veel te koud zo!" Hij kuste haar stevig op haar mond en schoof haar de gang in. Even later reed hij weg en Iris wachtte tot het geluid van de auto niet meer te horen was.

Pam kwam de gang op om te kijken waar Iris bleef en nam haar bij haar arm de kamer mee in. Daar barstte Iris in een enorme huilbui los. Met een arm om haar vriendin heen bleef Pam geduldig naast haar zitten tot het ergste voorbij was. „Irisje neem een warme douche dan ga ik in die tijd het huis van Roos controleren en afsluiten. Kom naar boven jij!"

Het kwam erop neer dat Peter en Pieta oudjaar bij Iris zouden vieren. Pam bleef bij nader inzien ook liever bij haar vriendin om haar te steunen in deze moeilijke dagen. Haar ouders hadden er gelukkig alle begrip voor. De kleine Niels mocht bij Bruno en Brigit logeren en hij vond het prachtig. De trieste gebeurtenis was grotendeels aan de kinderen voorbijgegaan. Wel vertelde Brigit hen dat tante Roos ziek was en in het ziekenhuis lag en dat ze maar een mooie tekening voor haar moesten maken.

Oudejaarsdag kwamen Peter en Pieta rond een uur of twee. Iris en Pam waren nog even naar het ziekenhuis geweest waar er natuurlijk niets was veranderd. Ook Bruno was geweest en ieder ging met gemengde gevoelens het oude jaar uit. De spanning week een beetje toen de klok eindelijk twaalf uur had geslagen.

Pieta had voor oliebollen en appelflappen gezorgd en Pam had een grote salade klaargemaakt. De sfeer onderling was warm en harmonieus en niemand hoefde zich groot te houden. Bij het nieuwjaar wensen hadden Peter en Iris zich even teruggetrokken om samen te zijn.

Pieta en Pam zouden in het huis van Roos slapen zodat de twee geliefden wat privacy hadden. Peter had Niels aan de telefoon gekregen toen de familie belde om iedereen een goed jaar te wensen. Het was voor hem even slikken dat hij zijn zoon voor het eerst niet bij zich had met de jaarwisseling. Maar de jongen had het reuze naar zijn zin en leed er beslist niet onder.

„Denk je dat het ooit goed komt met Roos?" vroeg Iris toen ze warm onder het dekbed lagen. De bedden waren tegen elkaar aangeschoven. Iris had er een speciale dekmatras op gekocht zodat ze toch dicht bij elkaar konden kruipen.

„Ik weet het niet Iris. Haar benen zijn tijdelijk verlamd, tenminste ik hoop dat het tijdelijk is. Zoals het er nu uitziet willen ze haar na de feestdagen opereren en proberen de afgebroken botsplinter uit het ruggenmerg te halen. Het is een precaire operatie waaraan een groot risico is verbonden. Ze moeten daarom ook haar toestemming hebben om de operatie uit te voeren."

„En dan, hoe gaat het dan verder? Stel dat ze de botsplinter er zonder verdere complicaties uit kunnen halen heft dat dan de verlamming op?"

„Niet noodzakelijk maar de kans is dan wel groter dat het goed komt. Er zal een langdurige revalidatie voor nodig zijn om haar te leren haar benen en spieren opnieuw te gebruiken."

„Maar die splinter dan, ze mist dan toch iets of groeit dat vanzelf weer aan?"

„Nee, de procedure is dat er een stukje bot uit haar dijbeen wordt gehaald en dat wordt bevestigd op de plaats waar de splinter is afgebroken. Dat noemen ze een wervelhechting. En verder... tja verder is het afwachten."

„Rot hoor, haar leeftijd zal er ook wel een rol in spelen."

„Ja ook dat, het wordt allemaal wat brozer door de ontkalking. En nu gaan we slapen lieverd. We zijn samen en daar moeten we van genieten. Het helpt niemand als we gaan zitten kniezen."

„Goed pa," zei Iris braaf en geeuwde hartgrondig.

De dag na nieuwjaar kwamen specialisten en professoren bij elkaar om de toestand van Rosie te bespreken. De foto's werden onafhankelijk van elkaar door iedereen bekeken en een voorlopig plan werd opgesteld. Daarna haalde een arts haar uit de narcotische slaap wat gelukkig geen problemen opleverde. Verschrikt sloeg Rosie haar ogen op en zag een aantal artsen rond haar bed staan. Haar mond was kurkdroog en ze kon geen woord uitbrengen. Een zuster doopte een doekje in fris water en drenkte daar haar lippen mee.

„Mevrouw Albrecht," de professor die de leiding had trok een stoel bij terwijl de anderen bij het voeteneind bleven staan. „Mevrouw Albrecht, u heeft in uw huis een ongeluk gehad, u bent van de trap gevallen kunt u zich daar nog iets van herinneren?"

Rosie schudde vertwijfeld haar hoofd en haar ogen zwierven koortsachtig door de kamer.

„Oké, dat is niet erg ik vertel u wat er verder aan de hand is. Door de val heeft u letsel aan uw rug opgelopen. Er is een botsplinter in het ruggenmerg terechtgekomen en die willen wij er voorzichtig uithalen, maar daar moeten wij wel uw toestemming voor hebben."

Rosie opende haar mond maar er kwam geen geluid uit. Ze kuchte en likte haar droge lippen af. Opnieuw bevochtigde de zuster haar lippen. Zacht klonk toen: „Waarom mijn toestemming?"

Ze lazen het meer van haar lippen dan dat ze het verstonden. „Er is aan iedere operatie een risico verbonden maar als we niets doen... tja dan gaat het van kwaad tot erger." Professor Koenders legde haar precies uit wat ze gingen doen, hij spaarde haar niet door de toestand minder ernstig voor te stellen als dat hij was. „U bent nu op de hoogte, laat ons zo snel mogelijk weten wat uw besluit is. Als u toestemt kunnen we na een aantal routineonderzoeken aan de operatie beginnen. Denk erover na, en nu laat ik uw familie binnen, die kunnen niet wachten u weer wakker te zien." Hij gaf haar een hand en de anderen knikten haar toe en verlieten de kamer. Alleen de zuster bleef bij haar toen Iris en Bruno de kamer binnenkwamen.

„Zo zusje eindelijk uitgeslapen?" probeerde Bruno zijn ontroering de baas te blijven, „je hebt ons wel laten schrikken hoor!" Hij ging op de stoel van de dokter zitten terwijl Iris aan de andere kant wilde plaatsnemen.

„Ik denk dat we beter aan een kant kunnen zitten," zei Bruno, „dat is minder vermoeiend voor Roos."

Iris pakte een krukje en ging dicht bij haar zitten, ze nam haar hand in de hare. Bruno had zijn hand over de andere gelegd. Moeizaam probeerde Rosie woorden te vormen en Iris kwam met haar hoofd dichterbij om te horen wat ze wilde zeggen. „Wat voor dag is het," fluisterde ze.

„De dag na nieuwjaar Roos. Heeft de dokter alles met je doorgesproken?"

Rosie knikte.

„Heb je toestemming gegeven voor de operatie?" vroeg Bruno toen. Weer knikte ze en sloot even haar ogen.

„Je bent erg moe Roosje we kunnen beter vanavond nog even terugkomen, goed?"

Rosie knikte en sloot opnieuw haar ogen. Haar broer en zus gaven haar een kus en liepen de gang op. Ze zeiden de zuster gedag en vertelden dat ze vanavond nog even terugkwamen.

„Dat is prima, uw zuster heeft tijd nodig om alles wat er gebeurd is te overdenken en te verwerken. Ze is een belangrijke gebeurtenis kwijt, de jaarwisseling, en natuurlijk nog een paar dagen. Ze zal het voorlopig erg vreemd vinden in een nieuw jaar terecht te zijn gekomen zonder het meegemaakt te hebben. Ik ben er vanavond niet maar zal doorgeven dat u komt. Sterkte allebei." Zuster Marijke gaf hen een hand en ging toen de kamer van Rosie weer binnen.

„Zullen we beneden even een kop koffie drinken?" stelde Bruno voor.

„Ja prima, wij moeten evengoed een beetje bijkomen."

„Wat moet het een vreemd gevoel zijn een paar dagen van je leven te missen," peinsde Iris onder het koffiedrinken, „en dan zeker de jaarwisseling. Wat vond jij van Roos?"

„Tja, wat moet je ervan zeggen... je hebt niet echt het gevoel dat het Roos is die daar ligt."

„Dat had ik ook," zei Iris verrast, „en wat zag ze er ineens oud uit, ik schrok er echt van."

Bruno roerde gedachteloos het restje koffie door: „Je hebt geen enkel idee wat je van de toekomst kunt verwachten, noch of ze ooit zal kunnen lopen. En evenmin kun je bedenken wat het met haar karakter zal doen. Ze is nu al zo onevenwichtig. Volgens Brigit kan het ook aan de overgang liggen dat ze zo moeilijk is af en toe. En tja, het zal niet alleen voor haar maar ook voor ons een zware tijd worden, en vooral voor jou! Wij zullen je zoveel mogelijk terzijde staan, maar als ze eenmaal thuis is komt er veel op jou neer ben ik bang."

„Ik vind het niet erg om voor haar te zorgen en ik zal ook zeker hulp krijgen van Mathilde en Pam."

„Stel het je niet te rooskleurig voor om in Roostermen te blijven. Ze was al bar lastig toen ze griep had dat ben je toch nog niet vergeten wel? Bovendien zal het aardig wat langer duren dan een griepje vrees ik. Gelukkig krijgen we de tijd om ons erop voor te bereiden aangezien ze eerst opgenomen wordt in een revalidatiecentrum. We zien het wel Iris, maar denk erom cijfer jezelf en Peter niet weg. Ook jij hebt recht op geluk en een eigen leven hoe lief en geduldig je misschien ook voor je zus wilt zijn."

De toestemming voor de operatie was gegeven en om beurten kwamen alle familieleden en bekenden haar een hart onder de riem steken. Ook hun ouders kwamen over en logeerden in het huis van Roos.

„Hadden jullie niet met kerst kunnen komen," dat was het eerste wat Rosie tegen haar ouders zei.

„Misschien wel liefje, je hebt gelijk. Maar we zijn er nu en blijven tot je weer een beetje bent opgeknapt."

„Dan kun je hier beter een huis huren want het kan wel jaren duren. Er is geen enkele zekerheid dat het gevoel in mijn benen terugkomt. En als ze mijn ruggenmerg nog meer beschadigen met het verwijderen van de splinter zit lopen er nooit meer in. Dus bewaar je optimisme maar voor andere zaken."

„Roosje niet zo bitter," riep paps zijn dochter tot de orde. „Voor het geval je het nog niet weet meisje, niemand heeft je dit aangedaan dus matig je wat.'"

Roos barstte in tranen uit: „Zoals altijd heb je je woordje klaar. Nooit hebben we op je kunnen rekenen en bij al het verdriet dat we hebben gehad zaten jullie hoog en droog in het verre noorden."

Mams zei verder niets en nam haar dochter in haar armen terwijl ze een verwijtende blik op haar man wierp.

De dag van de operatie was aangebroken. De routineonderzoeken hadden niets bijzonders opgeleverd dus er waren wat dat betreft geen extra complicaties te verwachten.

Iris was nog even snel bij haar geweest en mocht meelopen tot aan de operatiekamer. Daar kuste ze teder haar zus op het voorhoofd en gaf haar hand nog een extra drukje.

„Ik ben een draak geweest Iris, ik weet niet waarom ik tegen jou zo rot doe. Je laat me toch niet in de steek hè?" Rosie keek haar smekend aan.

Iris schudde haar hoofd: „Natuurlijk laat ik je niet in de steek Roos, dat beloof ik je."

Met tranen in haar ogen verliet ze het ziekenhuis en reed naar het statenkwartier om te gaan werken. Thuisblijven en almaar piekeren had weinig zin en Peter was ook gewoon aan het werk. Haar ouders waren zeer ingenomen met hun aanstaande schoonzoon. Ze gedroegen zich zeer charmant naar hem toe en Peter verbaasde zich erover hoe totaal anders Iris' ouders waren ten opzichte van hun dochters. Bruno kwam nog het meest in hun richting qua gedrag en karakter vond hij. Het waren gezellige mensen die vol optimisme waren over het verloop van de operatie.

„Puur gemakzucht," verklaarde Iris toen Peter er haar over aansprak. „Waarom moeilijk doen als er een kans is dat het goed komt. Naïef, dat zijn ze altijd al geweest. Wat je niet ziet of hoort is er gewoon niet. Dat is altijd hun motto geweest, ze vergeten alleen dat ze hun leven lang met oogkleppen hebben voor gelopen."

Peter schoot ondanks de bittere ondertoon in de lach. Hij mocht het stel wel en ze amuseerden hem door hun laconieke levensinstelling.

Om drie uur kreeg Iris een telefoontje van het ziekenhuis dat de operatie tot dusver goed was verlopen. Over het wel of niet verdwijnen van de verlamming konden ze niets zeggen dat moest aan de tijd worden overgelaten.

Iris zat aan het bed van haar zuster toen die haar ogen opsloeg en weer terug was op zaal.

„Het is goed gegaan, gelukkig maar," zei Iris zachtjes en wilde de hand van haar zuster in de hare nemen. Maar Rosie trok haar hand onmiddellijk los, ze was blijkbaar vergeten wat ze voor de operatie tegen Iris had gezegd.

„Het zal wel," zei Rosie met schorre stem, „maar mijn benen voel ik niet, dus is er van een geslaagde operatie geen sprake."

„Je weet best dat ze hebben gezegd dat het een kwestie van tijd is," antwoordde Iris. „De revalidatie en jouw doorzettingsvermogen moeten de rest doen."

Rosie sloot haar ogen en beduidde met haar hand dat Iris beter weg kon gaan. „Je zeurt zoals gewoonlijk, ga maar weg want ik wil slapen. Als ik slaap hoef ik nergens aan te denken."

Iris stond op, en zonder nog een keer haar ogen op te slaan liet Rosie haar zuster vertrekken.

In gedachten liep Iris naar haar auto. Ze hoopte van harte dat dit gedrag niet zou voortduren en ze was voor het eerst blij dat er een paar maanden revalidatie nodig waren. Zo kon iedereen toeleven naar de dag dat ze voorgoed thuis zou komen. Hoe het met de verzorging moest gaan daar wilde ze liever nog niet over nadenken, ze was ervan overtuigd dat er veel op haar schouders terecht zou komen ondanks alle aangeboden hulp.

Na haar auto geparkeerd te hebben zag ze haar moeder in de deuropening van Rosies huis staan. „Kom maar gauw lieverd en vertel hoe het met haar was." Bedrijvig schonk ze koffie in en ging tegenover haar zitten.

„Waar is papa?" vroeg Iris, ze nam haar kopje van de tafel en dronk met kleine slokjes. Ze wist niet hoe het kwam maar haar moeders koffie smaakte altijd net iets lekkerder dan die van Rosie en haarzelf.

„Papa is naar het tuincentrum. Hij wilde wat winterharde heideplantjes kopen voor in het perkje aan de slootkant. Daarna zou hij even naar Roos gaan."

„O jee als ze dat maar goed vindt, niemand mag in haar tuin ook maar iets doen," bedenkelijk keek Iris naar haar moeder die met een laconiek gebaar haar schouders ophaalde.

„Voorlopig heeft ze weinig te willen, en te doen al helemaal niet, dus maak je maar niet bezorgd. Maar vertel eens was ze al goed bij uit de narcose?"

Iris gaf niet direct antwoord maar staarde door het raam naar het perkje waar de heide moest komen. „Ze was geloof ik wel goed wakker maar na een paar minuten verzocht ze me te vertrekken, ze wilde slapen want dan hoefde ze niet na te denken." Het klonk ongewild een beetje boos.

„Ach dat kan ik me wel voorstellen," suste haar moeder, „het valt ook niet mee als je je hele leven zo actief bent geweest."

„Hoelang blijven jullie?" vroeg Iris opeens.

„Wel, wil je ons weg hebben?" Emmie lachte haar dochter vriendelijk toe.

„Nee integendeel, ik vind het erg gezellig dat jullie er zijn. Jullie passen trouwens veel beter in dit huis vind ik. Ik vraag me alleen af waarom we je zo weinig hebben gezien?"

Diezelfde vraag stelde Rosie aan haar vader toen hij naast haar bed had plaatsgenomen. „Komen jullie alleen als we in de misère zitten? Toen Daaf stierf kwamen jullie keurig op de begrafenis en bleven een paar dagen. Met de geboorte van Bruno's kinderen dito, alleen met de scheiding van Iris lieten jullie verstek gaan terwijl ze je ook hard nodig had."

„Het heeft geen zin ons van alles te verwijten Roosje," papa streelde de hand die rusteloos over het dek heen en weer bewoog. „Vroeger had je weinig problemen met onze uithuizigheid. Je moederde maar wat graag over je zus en broer. En bovendien vond je het heerlijk ons onder de neus te wrijven dat we als ouders weinig voorstelden. Wij zijn niet vergeten dat je probeerde de kinderen tegen ons op te zetten door keer op keer te vertellen dat ze voor alles naar jou toe moesten komen. Je hield van een bepaalde macht, en als ik zo het een en ander om me heen heb vernomen, oefen je die macht nog steeds graag uit. Maar goed lieve kind, je hebt een zware operatie achter de rug en we zijn niet hier gekomen om oude koeien uit de sloot te halen. Laat die maar lekker liggen meisje dat is voor iedereen beter." Hij stond op en gaf haar een kus. „Morgen komt mama mee, houd je goed kind."

Liefje, meisje, lieve kind, spotte Rosie inwendig, hij lijkt zo net een echte vader. Ze probeerde zich iets te draaien maar rolde terug. Ze werd er zich weer opnieuw van bewust dat haar benen niet mee wilden werken. Een droge snik ontsnapte haar en nijdig veegde ze een paar tranen weg. Ze zag in gedachten zichzelf zitten in haar rolstoel in de tuin, niets meer zelf te kunnen, alles aan een ander te moeten vragen… Waar had ze dit alles aan verdiend? Eerst het verlies van Daaf en nu dit, verlamd zijn misschien wel voor de rest van haar leven. Een doffe wanhoop besprong haar als een spook in de nacht.

Inmiddels was vader Harry weer thuis en wilde gelijk de plantjes in de tuin gaan zetten. De aarde was door de regen zacht en rullig en je moest in dit jaargetijde niet te lang wachten, morgen kon het weer gaan vriezen.

„Kom eerst even zitten Harry en vertel hoe het met Roos was. Iris is namelijk door haar weggestuurd." Emmie trok hem aan zijn hand terug.

„Tja, wat zal ik ervan zeggen, ze was aardig opstandig maar dat kun je haar moeilijk kwalijk nemen in deze situatie. Verder haalde ze natuurlijk zoals altijd weer een aantal ouwe koeien van stal. Ze is nu eenmaal nooit de gemakkelijkste geweest."

Iris hoorde hier van op. Zou ze nu echt zo'n vertekend beeld hebben gehad van haar jeugd en haar familie? In haar ogen was Roos degene die Bruno en haar had opgevoed omdat haar ouders het lieten afweten. Maar was het wel echt zo gegaan? Ze vroeg het zich af, en ze nam zich voor in de tijd dat haar ouders nog hier waren schoon schip te maken met de schimmen uit het verleden.

De plantjes stonden en voldaan schoof Harry aan tafel. Ook hij was een verwoed tuinier en een leeg en onbeplant perkje was een doorn in zijn oog.

„Mm, je hebt weer heerlijk gekookt Emmie. En hoe vind jij het zo onder moeders vleugels te zijn?" vroeg hij Iris.

„Heerlijk paps," grinnikte ze ondeugend, „het is een ongekend fenomeen vertroeteld te worden door je ouders. En hoewel ik ook graag een veestapel koeien uit de sloot wil halen heb ik toch besloten het aan jullie over te laten me iets te vertellen over het zo beladen 'vroeger'. Ik kom tot de conclusie dat ik wellicht een aardig vertekend beeld heb van die tijd."

„Gut kind wat zeg je dat netjes, chapeau hoor!" hij tikte beleefd even aan een denkbeeldige hoed.

Iris schoot hartelijk in de lach: „Doe niet zo overdreven paps, ik wil jullie gewoon goed leren kennen."

„En wij jou liefje, we nemen er de tijd voor en genieten ervan dat we bij elkaar zijn. Laat je de komende tijd door ons verwennen, je zult het nog moeilijk genoeg krijgen als Roos weer thuis is. Maar ook dan kun je altijd een beroep op ons doen hoor! Wanneer komt die aantrekkelijke Peter weer, we zien hem veel te weinig en zijn zoon ook."

„Dan heb je geluk want ik hoor zijn auto. We zijn twee avonden per week bij elkaar en verder ben ik af en toe bij hem thuis. Niels weet dat we bij elkaar horen en hij vindt het prachtig. De schat heeft totaal geen problemen met het feit dat zijn vader soms bij mij is. Hij vindt het in mijn huis ook heel leuk en zo heeft Pieta wat meer haar handen vrij."

„Mm, je kunt aan alles zien dat je op het moment heel tevreden bent met je leven. Laat het door niemand in de war sturen kind, die raad geven je moeder en ik je allebei. We kennen Roos en dat zegt genoeg." Harry keek met een ernstig gezicht zijn dochter na die zich naar de deur haastte om Peter binnen te laten. Hoofdschuddend nam hij de krant ter hand.

„Hé lieverd wat een enthousiasme," Peter kuste haar en hield haar dicht tegen zich aan. „Viel het bezoek aan je zus erg tegen?"

Iris knikte en verborg haar gezicht tegen zijn jas.

„Ja, daar was ik al bang voor. Ze heeft het bar moeilijk en ze zal het jullie daardoor ook niet gemakkelijk maken. Jammer, want zo belemmert ze je in alles wat je voor haar wilt betekenen. Ik blijf nog maar even bij haar weg want mijn bezoek maakt het alleen maar erger vrees ik."

Hand in hand liepen ze de kamer in waar Harry en Emmie al op hun zaten te wachten. „Koffie jongen?" vroeg Emmie schalks, „ik weet dat jullie liever gelijk naar hiernaast vertrekken maar wij willen toch ook graag even van je gezelschap genieten."

Peter zond haar een knipoog en liet zich naast Iris op de bank zakken. „Koffie is altijd een toverwoord," zei hij hartelijk, „ik vind het bovendien erg gezellig dat jullie er zijn."

Na een uurtje verdwenen ze naar het andere huis. Peter nam Iris in zijn armen en tilde met een hand haar gezicht op. „Wat is er schat… maak je je zorgen om de houding van Roos?"

„Nee dat niet direct al vind ik het evenmin leuk. Je voelt je haast schuldig omdat het jou niet is overkomen maar haar. Het slaat nergens op maar toch voel ik het vaak zo. Ik ben ergens blij dat ik haar in die griepperiode van een andere kant heb leren kennen anders zou ik het echt niet aankunnen. Ik hoop ook van harte dat ze niet in die houding blijft volharden."

„Ik vrees het ergste schat al deel ik je hoop dat het niet zo zal zijn. Maar zullen we het voor de verandering eens over onszelf hebben? Zolang we elkaar kennen speelt Roos al een grote rol in ons leven en daar heb ik een beetje genoeg van. Kom je het weekend naar ons toe? Pieta is naar een vriendin. Niels verheugt zich er erg op, we kunnen wel wat leuks gaan doen met zijn drieën. Ik kom je vrijdagavond halen en dan blijven we een uurtje bij je ouders die het ook leuk vinden Niels weer te zien. Wat vind je ervan droom van mijn hart?"

De droom van zijn hart zei niet veel. Ze dacht eraan dat het voor Roos niet leuk was als ze haar het hele weekend niet zou zien.

„Ik weet wat er in je omgaat Iris, maar doe me een plezier en laat Roos niet nu al ons leven beheersen. Je broer en zijn gezin plus je ouders zijn er ook nog en die gaan echt wel naar haar toe. Je maakt jezelf veel te belangrijk voor Roos, en dat zal je nog eens lelijk opbreken als je er nu niet gelijk wat aan doet." Geïrriteerd omdat Iris bleef zwijgen liet hij haar los en nam een flesje bier uit de koelkast. „Jij wijn?" vroeg hij op norse toon.

„Ik schenk het zelf wel in," Iris nam een glas uit de kast en schonk er wat vruchtensap in. „Ik heb bij het eten al wijn op en nu heb ik alleen maar dorst." Ze ging naast hem op de bank zitten en leunde vermoeid tegen hem aan. „Ik begrijp wel wat je bedoelt Peet maar ik vind het heel moeilijk."

„Moeilijk... wat vind je moeilijk? Haar los te laten en niet net te doen alsof jij alleen verantwoordelijk bent voor haar genezing... wordt wakker Iris en denk even nuchter na. Jij en je familie zullen haar om beurten verzorgen zolang ze hulpbehoevend is. Jij noch de anderen kunnen bijdragen aan haar genezing, dat kan alleen zijzelf. En de natuur kan haar daarbij een handje helpen, en zelfs dat moet zij willen en niet jij en je familie. Ik weet dat het hard klinkt maar het is de beste manier om je duidelijk te maken waar het hierin omgaat. Kijk schat," Peter draaide haar onwillige gezicht naar zich toe, „als je nu al twijfelt of je onze relatie voor de ziekte van Roos laat gaan hoe moet dat dan als ze eenmaal thuis is? En sterker nog, stel dat de verlamming blijft en ze nooit meer zal kunnen lopen... hoe zie jij onze toekomst in dat geval?"

„Goh Peter doe niet zo vervelend, ze is net geopereerd en niets is nog zeker dat weet ik ook wel. Hoe kun je nu van me verlangen dat ik drie maanden of langer vooruit kijk, ik heb al moeite met een week. Je zult best wel gelijk hebben maar het is niet jouw familie maar de mijne. Toen jouw vrouw ziek was ging zij toch ook voor alles en iedereen? En dat vind ik ook niet meer dan logisch."

„Ik geloof niet dat je die twee zaken met elkaar kunt vergelijken," zei Peter hooghartig en haalde zijn arm van haar schouders. „Fijn, als we er nu al ruzie over krijgen dan zie ik de toekomst voor ons somber in." Het gesprek ging volkomen de verkeerde kant uit. Ze waren allebei sikkeneurig en gaven elkaar geen strobreed toe.

De stemming kwam er die avond niet meer in en Peter moest zich beheersen om niet gewoon naar huis te gaan. Van een intiem samenzijn was geen sprake en ze lagen als vreemden naast elkaar in bed. Iris huilde geluidloos en wist met de hele situatie geen raad. Was ze een jaar geleden nog een hatelijke en onverschillige tante die teveel dronk, de ommekeer in haar gevoelens, en hoe ze ermee omging bracht voorlopig maar weinig plezier in haar leven. Peter die zich toch wel schuldig voelde over zijn harde uitspraken draaide zich om en legde voorzichtig een arm om haar heen. „Sorry liefje," fluisterde hij zachtjes met zijn lippen tegen haar schouderblad. „Ik ben af en toe een hork daar ben ik me echt wel van bewust. Maar ik ben zo bang dat zij onze relatie zal verpesten want daar is ze zeker toe in staat, en dat weet jij ook wel. Ik houd van je Iris en ik wil je voorgoed in ons leven. Werk er alsjeblieft aan mee het zo te houden," smeekte hij en draaide haar in zijn armen om. Toen hij haar behuild gezicht zag smolt hij berouwvol weg met zijn hoofd in haar hals. „Laat Roos niet tussen ons komen schat, waak daarvoor."

„Ik zeg niet dat het onzin is wat je beweert," snufte ze en wreef haar ogen droog, „maar overdrijf je niet een beetje. Je schildert

Roos af alsof ze een toverkol is die met haar toverstaf of tover-spreuken ons leven kan besturen." Ze gaf hem een kus: „Laten we over Roos ophouden en ons met andere dingen bezighouden. Ik houd zielsveel van je en ik wil evenmin dat daar iemand tussen-komt." De spanning verdween langzaam en er kwam iets anders voor in de plaats, het verlangen om elkaar lief te hebben en daar blijk van te geven. Toch was het deze keer anders en dat beseften ze beiden al lieten ze zich er niet over uit.

De familie ging bij toerbeurt naar Rosie toe en troffen haar in aller-lei stemmingen aan. Dat veranderde niet toen ze eenmaal in het revalidatiecentrum was. En degene die veelal met de minst plezie-rige Rosie te maken kreeg was Iris.

Op een zondag was Iris naar haar toegegaan en trof ook haar ouders bij Roos aan. Ze zaten met zijn drieën in het restaurant toen Iris binnenkwam. Gelijk veranderde de uitdrukking op het gezicht van Rosie. Emmie die het zag kneep een ogenblik haar ogen tot spleetjes, dit was te gek voor woorden. Wat speelde er toch tussen haar dochters... waarom was de houding van Iris bijna dociel te noemen en waarom nam Roos dat te alle tijden waar!

Iris wilde Roos een kus geven maar die draaide haar hoofd af. „Doe niet altijd zo flemerig, zo was je voorheen ook niet," zei ze hard. „Neem een stoel en haal koffie voor jezelf."

„Ga zitten kind," Harry legde een troostende hand op Iris' schou-der, „ik haal de koffie wel.

Met een dankbare blik keek Iris haar vader aan en trok een stoel bij.

„Hoe was het met Peter en Niels, heb je het gezellig gehad?" vroeg haar moeder belangstellend.

„Ja mam en jullie moeten de groeten hebben."

„Geen belangstelling," bitste Rosie. „En als jullie het over het gezellige weekend van Iris willen hebben doe dat dan op de weg naar huis."

„Zo is het wel genoeg vind je niet?" kwam vader Harry tussenbei-de. „Voor je het misschien bent vergeten Rosie, er zijn nog meer mensen op de wereld dan jij alleen. Je zult eraan moeten wennen dat iedereen het leven leidt wat hem of haar is toebedeeld. Zelfzuchtigheid is geen beste karaktertrek kind."

„Hoor wie het zegt," sneerde Rosie, „ik dacht dat jullie daar in afgestudeerd waren." Harry keek zijn dochter een ogenblik strak aan en stond toen op. Even later kwam hij met de jassen terug van zijn vrouw en Iris. „Kom jongens we gaan, we hebben hier op het moment weinig te zoeken." Bij het verlaten van het restaurant keek hij nog een keer om: „Wanneer er weer met je te praten valt kun je even bellen dan bespreken we wel of we je zullen bezoeken."

Iris aarzelde nog maar haar vader nam haar stevig bij haar arm. In stilte stapten ze in de auto en reden weg.

Rosie was woedend en draaide de wielen van de rolstoel in de richting van de gang. Gelukkig had ze een kamer alleen en daar kon ze haar slechte bui laten bezinken. Maar voor ze de gang opreed hield een mannenstem haar tegen.

„Beroerd hè zoveel medelijden met jezelf te hebben. Je kunt je op je familie afreageren maar de situatie verandert er niet door, integendeel want jij bent de enige die er slechter van wordt."

„Waar bemoei je je mee?" beet Rosie nijdig van zich af, ze keek om zich heen waar de spreker zich bevond. Een man van middelbare leeftijd, eveneens zittend in een rolstoel, nam een glas wijn van de bar en reed met één hand aan het wiel draaiend op haar toe. Rosie wilde er vandoor gaan maar iets weerhield haar daarvan. „Ik herhaal mijn vraag nog even voor het geval je hem misschien niet had verstaan; waar bemoei je je mee?"

„Ach de meeste van ons zitten in hetzelfde schuitje en dat schept een band vind je ook niet? Dat houd ook in dat je elkaar de waarheid wel mag zeggen want op die manier kunnen we veel van elkaar leren."

„Ik moet zeggen daar absoluut geen belangstelling voor te hebben. Sterker nog ik haat dat domme therapeutische gezwets." Ze keek opnieuw nijdig in zijn richting en draaide daarna haar stoel de gang op. Nog net hoorde ze hem meewarig zeggen dat alle nieuwelingen zo reageerden, en dat ze op de duur wel inzagen dat je er met zo'n houding beslist niet kwam. Rosie schoot de lift in en haar adem kwam met horten en stoten. Het gebeurde steeds als ze zich druk maakte, dan kreeg ze het benauwd en dacht te stikken in haar emotie. Op haar kamer gekomen gooide ze de deur in het slot en reed de stoel naar het raam waar ze uitkeek op de tuin. Daar probeerde ze weer de rust te vinden en haar ademhaling onder controle te krijgen.

„We moeten straks eens even goed met elkaar praten Iris," zei haar vader bij het uitstappen. „We kunnen niet aanzien dat jij jezelf kapot laat maken en daarbij ook je relatie." Hij hield de deur voor hen open en nam hun jassen aan.

„Koffie of iets pittigs?" vroeg Emmie aan haar man en dochter.

„Liever iets pittigs Em," Harry wreef zijn koude handen en hield ze even tegen de verwarming aan. Hij had wat last van zijn bloedsomloop en dat vertaalde zich vaak in koude handen en voeten.

Ook Iris wilde wel een glas wijn en met zijn drieën bleven ze gezellig aan de keukentafel zitten. Emmie zorgde voor wat stukjes kaas en worst en zette dat voor hen neer.

„Wat bedoelde je zo-even pap, ik laat Roos echt niet tussen Peter en mij inkomen hoor, wees daar maar niet bang voor!" zei Iris met een zekerheid die ze niet echt voelde, maar ze wilde haar vader niet ongerust maken.

„Ik denk dat mam en ik maar eens in het verleden moeten duiken om het voor jou wat duidelijker te maken. Dit gesprek heb ik al eerder met Bruno en Brigit gehad. Kijk, Roos en jij verwijten ons dat we niet meer deze kant op zijn gekomen en daar hebben jullie deels gelijk in. Deels, en daar bedoel ik mee dat jullie ons kennelijk ook niet erg wisten te vinden en je broer wel. Al het ongenoegen komt meestal van twee kanten. Dat is geen verwijt maar een vaststelling. Jullie hadden kennelijk geen belangstelling voor ons leven en wij kenden jullie evenmin erg goed, maar dat heeft een andere reden."

„Ja oké, daar zit wel wat in, maar, en dan spreek ik voor mezelf, jullie zijn wel mijn ouders. En dat impliceert dat er een grotere betrokkenheid naar mij toe zou moeten bestaan en niet andersom. Ik ken weinig mensen van mijn leeftijd die heel erg geïnteresseerd zijn in het leven van hun ouders, terwijl die ouders wel alles willen weten van hun doen en laten."

„Waren jullie jonge mensen er destijds op gebrand dat wij ons met jullie leven bemoeiden?"

„Nee dat deed Roos al maar dat wil niet zeggen dat ik het niet anders wilde." Er sprongen spontaan tranen in haar ogen die ze zo onopvallend mogelijk wegveegde.

„Sorry lieverd," zei haar vader enigszins aangedaan. „Ik besef dat ik onze manier van handelen goed zit te praten en dat is niet de bedoeling. Wij waren absoluut geen voorbeeldouders en we hebben de fout begaan onze Roos de touwtjes teveel in handen te geven. Zij vond het prachtig want zo had ze een stukje macht over ons allemaal. Roos houdt van macht en die macht probeert ze opnieuw te krijgen door jou te manipuleren. We hebben in het verleden grote fouten gemaakt ten opzichte van jou en Bruno en ook naar Roos toe. Ik geef het grif toe maar dat verandert niets aan hetgeen wat er nu dreigt te gebeuren. Zolang we hier zijn zal ik er ook voor waken dat het niet gebeurt, en mama ook."

„Ik begrijp het niet helemaal," klaagde Iris met haar hand vertwijfeld aan haar voorhoofd. „Jullie doen net of Roos een heks is terwijl zij in mijn jeugd veel zo niet alles voor me betekende. Zij nam jullie taken over en dat deed ze volgens mij prima. Ze was zorgzaam en hielp me met alles en dat deed ze ook voor Bruno. Jullie waren er nooit!"

„Dat is slechts de helft van het verhaal schat," zuchtte Emmie en keek daarbij haar man hulpeloos aan. Ze legde haar handen over die van Iris en drukte ze warm. „Ik schenk eerst nog even wat in, allemaal nog een portje?"

Ook Harry stond op, hij legde beide handen op de schouders van Iris. „Wat we je dadelijk vertellen zal veel duidelijk maken. Ik besef eveneens dat we dat misschien eerder hadden moeten doen. Maar vanaf dat je met Stef omging was je naar ons toe niet erg toeschietelijk en daarom besloten we je het niet eerder te vertellen dan dat je eraan toe was. Wat kun je je van je eerste levensjaren herinneren?" vroeg Harry en zijn glimlach was zacht toen hij naar zijn dochter keek.

Iris dacht diep na. „Het zijn wat losse beelden," zei ze aarzelend. „Ik liep tussen jullie in naast de kinderwagen waarin Bruno lag. En mam bakte poffertjes voor mijn verjaardag, ik weet niet hoe oud ik toen werd. Ik herinner me nu ook opeens een hele erge ruzie tussen Roos en mama, ik was al weer wat ouder. Roos gooide de deur voor mijn neus dicht toen ik wilde horen waar het over ging. Ja, dat soort dingen eigenlijk. Mama en Roos hadden vaak ruzie. Jij probeerde dan altijd de boel te sussen papa."

„Had je het gevoel dat we niet van jullie hielden, van jou hielden?" vroeg Emmie met omfloerste stem.

„Ik weet het echt niet mama, dan zou ik stil moeten staan bij die tijd en ervaren wat ik erbij voel. Nu kan ik dat zogauw niet." Het klonk spijtig en verontschuldigend tegelijk.

„Ik kan maar beter verder gaan met ons verhaal," Harry schraapte zijn keel.

„Toen mama van jou in verwachting bleek te zijn was ze in eerste instantie helemaal over haar toeren. Roos was al vijftien, en mama had er nooit meer op gerekend ooit nog zwanger te worden. In die tijd was de pil nog niet echt populair en tja, we gebruikten eigenlijk niets om een zwangerschap te voorkomen. Het was immers vijftien jaar goed gegaan. Enfin, ze was drie maanden heen toen ze psychische problemen kreeg. Haar hele hormoonhuishouding bleek in de war te zijn en de dokter kon haar ook weinig medicijnen voorschrijven. Ze moest zoveel mogelijk afleiding hebben en daar zorgde ik als het even kon natuurlijk ook voor. Roos begreep er niets van en mam eigenlijk ook niet. De hele zwangerschap was een aaneenschakeling van lichamelijk en geestelijk onbehagen. Ze was er ook van overtuigd dat bij de bevalling alles verkeerd zou gaan en dat het dan haar schuld zou zijn."

Nu alles weer werd opgerakeld voelde Emmie zich intens verdrietig. Iris stond op en sloeg haar armen om haar moeder heen. „Ach schat, was daar toch niet al die jaren mee rond blijven lopen en jij ook niet papa." Ze gaf hun allebei een kus en ging weer zitten.

„Goed kind… Mam wilde in het ziekenhuis bevallen want dat gaf haar toch een veiliger gevoel. Jij werd geboren en mankeerde niets en je moeder leek weer wat op te bloeien. Samen met Roos verzorgde ze jou, maar af en toe kreeg een soort vreemde angst haar in zijn greep en was ze psychisch weer aardig in de war. Nu kreeg ze er gelukkig wel medicijnen voor en die onderdrukten het grotendeels. We leefden een vrij geregeld leven en er waren tijden dat het heel erg goed ging. Na een paar jaar raakte mam weer zwanger maar nu voelde ze zich er juist heel goed bij. Ze was vrolijk en energiek en kon de hele wereld aan. Achteraf was het té als je begrijpt wat ik bedoel. Te vrolijk, te druk en ga zo maar door. Helaas had niemand dat in de gaten ook de huisarts niet. Bruno werd geboren en daarna ging het helemaal mis. Mam had een postnatale-depressie. Ineens was er een naam voor gevonden."

„Het was een hel," Emmie nam dat stukje van haar man over omdat hij er nog steeds moeilijk over kon praten. „Ik werd bevangen door angsten die met geen pen te beschrijven zijn. Angsten die niet te weerleggen waren en die niet meer uit mijn hoofd verdwenen. Ik kreeg ook suïcidegevoelens maar dat vond ik minder erg, dat ging alleen mezelf aan. Als je er meer over wilt weten kijk dan maar op internet, er is een speciale site voor P.N.D. Ik kan en wil niet in details treden omdat het te bizar voor woorden is. Elke keer als ik weer een krantenbericht onder ogen krijg of op de tv hoor dat een moeder haar kinderen…" Emmie hapte naar adem en begon over haar hele lichaam te trillen.

„Vertel maar niet verder mam ik begrijp het zo wel."

Hierop nam Harry het weer van haar over. „Ik zal het kort houden, mama moest worden opgenomen in een psychiatrische kliniek ergens op de Veluwe. Ik ging zoveel mogelijk naar haar toe om haar de steun te geven die ze nodig had. Vandaar lieve schat dat ik zoveel weg was. Ik had mijn werk en daarna ging ik vaak naar mama."

„Toen kwam tante Toos bij ons," herinnerde Iris zich ineens.

„Ja, die kwam tijdelijk in huis om Roos die nog op school zat met alles te helpen. Je begrijpt dat Roos het niet prettig vond dat iemand min of meer haar taak overnam. Maar Bruno was te klein om het helemaal aan Roos over te laten. Mam kwam af en toe een weekend naar huis maar steeds bleek opnieuw dat ze de druk niet aankon. Dat sleepte zich jaren voort."

„Daarom was je nooit met ons alleen," zei Iris tegen haar moeder.

„Nee schat dat kon echt niet," ze streek Iris liefdevol over haar hoofd.

‚Zijn jullie daarom verhuisd naar het noorden?" Iris begreep steeds beter wat er zich al die jaren had afgespeeld in het leven van haar ouders.

„Ja, dat leek de arts die je moeder behandelde het beste. Als ze weer naar huis ging zou het zich blijven herhalen totdat er van een permanente opname sprake zou zijn. En dat wilden we niet. Je moeder betekende alles voor mij en ik had alles voor haar over zelfs als ik jullie daardoor in de steek moest laten."

„Je hebt ons niet in de steek gelaten. Maar omdat wij niet begrepen wat er aan de hand was reageerden we steeds afstandelijker. Tante Toos bleef bij ons wonen toen Roos trouwde. Toch renden Bruno en ik met al onze zorgen direct naar Roos toe die er wel altijd voor ons was. Tante Toos was aardig maar we waren veel meer aan Roos gewend. Ik ging met achttien jaar het huis uit en toen bleef alleen Bruno nog over. En papa is toen Bruno wezen ophalen. Ik vond het raar dat ik nooit bij jullie heb mogen wonen en hij wel. Roos zei altijd dat ik een jongen had moeten zijn en dat jullie daarom niet naar me omkeken."

„Ja schat, en zo zijn al die indianenverhalen de wereld in gekomen. Maar je weet nu hoe het werkelijk was. Verder nu. Mam had toen het ergste achter de rug en kon met de juiste medicijnen weer een normaal leven leiden. Wel was een rustige omgeving een voorwaarde om haar voorgoed naar huis te laten gaan. We kochten een boot en op het water was je moeder het meest gelukkig. Bruno ging in Utrecht studeren, ontmoette daar Brigit en de rest van het verhaal ken je. Degene die we het meest hebben verwaarloosd ben jij Iris. Roos heeft ons vijftien jaar voor zich alleen gehad, en ze vond het prachtig dat mam zwanger was en ze mee voor jou mocht zorgen."

„Ja en ik denk dat je nu onbewust voor Roos wilt zorgen omdat je je jeugd aan haar hebt te danken," zei Emmie begrijpend.

„En ze nam me weer onder haar vleugels toen het verkeerd met me dreigde te gaan," zei Iris zacht. „Ik heb jullie gemist, en je weet niet half hoe erg. Mijn huwelijk met Stef was een vergissing, maar ik had geen voorbeeld waar ik mijn huwelijk aan kon toetsen. Hoe wist je dat je van iemand hield, hij de juiste man voor je was... Ik miste mam om daar raad aan te vragen, en een vader die me naar een feestje bracht... Geloof me schatten het is geen verwijt maar ik wil jullie toch laten weten hoezeer ik dat alles heb gemist. Ik verhardde me en na mijn mislukte huwelijk zocht ik het feesten en het bijbehorende plezier op. Nu was het Pam die me op het rechte pad probeerde te houden. En daarna kwam Roos met het voorstel samen een huis te kopen. Ik was verdwaald mam, verdwaald in een leven waar ik geen raad mee wist." Iris huilde alsof haar hart zou breken en haar ouders die hun armen om haar heen hadden geslagen huilden even hard mee.

„Je weet nu de reden waarom jullie en ons leven zo vreemd is verlopen. Het is geen vorm van excuus want als we het anders hadden kunnen doen... We zullen ook nooit weten of we de juiste keus hebben gemaakt." Emmie liet met een moedeloos gebaar haar handen in haar schoot zakken. „Jij hebt aan ons het minst van alledrie wat gehad en inderdaad, je hebt veel aan Roos te danken en wij net zogoed. Maar toch lieverd... laat je door al die gevoelens niet teveel leiden en bouw ook aan je eigen toekomst. Roos is altijd heel bezitterig geweest en wij hebben er voor een deel aan meegewerkt door haar niet een halt toe te roepen toen het erger werd."

„Maak je geen zorgen mam ik kom echt wel voor mezelf op als het nodig is. Mijn egoïsme en mijn scherpe tong maken nog steeds deel van me uit. Maar nu ga ik naar hiernaast want ik moet morgen weer vroeg op. Welterusten schatten en bedankt dat ik nu de reden weet en jullie terug heb in mijn leven." Iris kuste haar ouders en liet hen achter in de wetenschap dat het nooit te laat was om opnieuw te beginnen.

HOOFDSTUK 5

Rosie zat op haar kamer te lezen toen er werd geklopt. Geïrriteerd sloeg ze haar boek dicht en reed naar de deur en deed die open. Ze keek in de felblauwe ogen van Bart van Velzen die er een gewoonte van had gemaakt haar steeds tot de orde te roepen als haar gedrag te wensen overliet. Hij streek door zijn grijze haardos, een teken dat hij ergens mee zat.

„Rosie ik heb je hulp nodig," zei hij onomwonden en reed haar kamer binnen. Rosie kneep haar lippen op elkaar: „Ik heb je geen toestemming gegeven mij bij de naam te noemen en bovendien heb je niet zomaar bij me binnen te rijden."

„Blaas toch niet altijd zo hoog van de toren, je bent net als wij allemaal gewoon patiënt, niets meer en niets minder. Je bent een aardige vrouw om te zien Rosie als je die hooghartige pose van je een keertje vergeet. Het is morgen Valentijn en we willen er wat leuks en gezelligs van maken. Ik kwam dus vragen of ik op je medewerking kan rekenen. Je bent een kei met bloemen en planten heb ik van je zus gehoord en zo iemand kunnen we goed gebruiken."

„Mijn zus praat wel meer onzin," klonk het stug, „en verder hoef je niet op mij te rekenen, ik hou niet van dat commerciële gedoe." Bart antwoordde niet en keek haar alleen maar aan. Hij draaide zijn rolstoel en ging zonder nog een woord te zeggen de kamer uit. Hij was teleurgesteld, voor de zoveelste keer. Alles wat hij probeerde om wat toegankelijkheid te bewerkstelligen liep op niets uit en dat vond hij jammer. Ze kon nog steeds niet aanvaarden dat de kans erin zat dat ze nooit meer zou kunnen lopen. Op zich was dat logisch maar daarmee maakte ze het voor zichzelf en ook voor haar familie alleen maar moeilijker. Bart vond haar ondanks alles een interessante vrouw die hij graag wat beter had willen leren kennen. Zijn eigen handicap was blijvend. Een auto-ongeluk had een eind gemaakt aan zijn mobiliteit, buiten zijn schuld om. Hij was al acht jaar weduwnaar en hij had zich er altijd goed doorheengeslagen, maar zijn invaliditeit had hem de eerste tijd wel rancuneus en bitter gemaakt. Dus hij begreep echt wel wat er in Rosie omging al had aan haar ongeluk niemand schuld.

Het plezier om lekker een poosje ontspannen te lezen was door het bezoek van Bart verstoord. De ochtend had ze fysiotherapie gehad en zoals altijd was het pijnlijk en vermoeiend geweest. Het duurde minstens nog een maand tot zes weken eer ze zover was dat ze naar huis kon en dat viel haar erg zwaar. Ze haatte het deel te moeten uitmaken van een groep mensen, dat had ze altijd al gehad. Ze was enorm individualistisch ingesteld en kon geen inmenging van anderen velen. Chagrijnig gooide ze haar boek op het bed en keek op de klok. Mm, nog een half uur en dan kwamen haar ouders en Iris op bezoek. Ze had er eigenlijk vandaag helemaal geen behoefte aan maar ja, ze kon er evenmin onderuit.

Het enige wat ze wilde was naar huis gaan. Daar werd ze door haar familie geholpen en daar was zij de baas. Thuis moest ze niets maar kon doen waar ze zin in had. Ze wilde haar tuin zien en in haar eigen stoel voor de tv zitten. Ze wilde zelf aangeven wat ze wilde eten en ga zo maar door. Ze was al die bemoeienis van iedereen meer dan spuugzat.

Een paar avonden terug toen Iris op bezoek kwam was Bart erbij komen zitten wat ze heel onbehoorlijk van hem vond. Haar zus had natuurlijk weer haar mond voorbij gepraat en Bart verteld wat Rosie in haar dagelijks leven deed. Zo… had hij langgerekt gezegd, dus jij hebt een maatschappelijke baan, tjee dat had ik niet achter je gezocht.

Het is gewoon mijn professie, had ze boos geantwoord, en het heeft niets met sociaal of maatschappelijk werk te maken. Ik geef mensen advies bij hun dieet dat bij hun ziekte of kwaal hoort. Daar komen geen sentimentele gevoelens aan te pas noch therapeutische sessies. Zij komen om advies en ik geef ze die. Tevreden?

Bart had zijn hoofd geschud en gezegd er nog wel eens op terug te willen komen. Maar Rosie had dat tot nu toe weten te voorkomen. Weer werd er geklopt maar nu waren het haar ouders en Iris. Iris overhandigde haar weer het befaamde ziekenhuisbloemetje en gaf haar een kus. Aardig doen en verrast zijn dacht Rosie, want ik heb haar straks hard nodig. Haar ouders begroetten haar en namen op een rotanbankje plaats. „Zit je nooit eens in een gewone stoel," vroeg haar moeder, „heb je nog niet geleerd hoe je dat moet doen?"

„Nee ma, dat heb ik nog niet geleerd en bovendien zit ik best ik deze rolstoel."

„Wat hebben ze je eigenlijk geleerd met het oog op naar huis gaan, je zal toch dingen zelf moeten doen neem ik aan."

„Zoals…?" klonk het gemelijk.

„Onder andere zelf in je stoel en op je bed gaan zitten bijvoorbeeld, jezelf aan de wastafel wassen, tanden poetsen, je aankleden."

„Natuurlijk, ik ga gewoon staan op mijn lamme benen en dan doe ik al die dingen die je zegt. Nee ma daar zal ik bij geholpen moeten worden. Mathilde en Iris krijgen instructies om mij te leren tillen en overeind te helpen. Ik kan aan de computer werken en daar ben ik druk mee bezig. Ik heb een opzet voor een boek gemaakt en daar werk ik thuis aan verder."

„Leuk," zei Iris verrast, „en waar gaat dat boek over?"

„Het is geen roman natuurlijk! Ik werk aan een boek over de gevolgen van een dieet houden zonder enige begeleiding. Het vervelende hier is dat ik niet de enige ben die de computer wil gebruiken."

„Ik kan wel zorgen dat je er eentje te leen krijgt zolang je hier bent," stelde Iris voor, „ik zal er morgen direct werk van maken."

"Dat is niet nodig, ik wil gewoon zo snel mogelijk naar huis. Drie maal therapie in de week moet voldoende zijn, ik heb geen zin mij hier nog langer te vervelen."

„Wat zeggen de artsen ervan," klonk de rustige stem van haar vader, „denk je dat je al zover bent? Hier hebben ze alles bij de hand en thuis zal het toch behelpen worden. Bovendien willen wij het graag ver van te voren weten met oog op de aanpassingen die we moeten laten doen. Een bed in de kamer, een douche beneden en ga zo nog maar even door."

„Nou ik zou zeggen begin er zo snel mogelijk mee!" zei Rosie laconiek. „Ik blijf hier niet langer als dat nodig is. Jij en Mathilde," wendde Rosie zich tot haar zus, „moeten maar overleggen hoe jullie je tijd willen indelen en dan bespreken we dat later wel."

„Loop je niet al te zeer op de zaak vooruit?" zei haar vader weer, „voor het zover is zullen we nog een aantal gesprekken met de artsen moeten hebben."

„Denk je niet dat ik daar zelf bijdehand genoeg voor ben? Ik ben niet aan mijn mond verlamd hoor!"

„Mag dat duidelijk zijn," spotte Harry.

Iedereen lachte en Rosie lachte mee zij het niet van harte. Toen Iris en Emmie koffie gingen halen trok Harry zijn stoel wat dichter naar Rosie toe. „Ik vind het fantastisch dat je zus en schoonzus je willen helpen maar ik hoop wel dat je hen niet onnodig zult belasten. Ze hebben ook nog een eigen leven en daar hebben ze uiteraard recht op. Bovendien lieve meid zou ik eerst maar eens wat aan dat humeur van je doen. Als je zo doorgaat met snauwen en grauwen zul je niet lang plezier aan ze hebben dat geef ik je op een briefje. Iedereen heeft met je te doen maar vergeet niet dat niemand schuld heeft aan jouw ongeluk. Zit er overigens al wat beweging in je spieren?"

„Nee, en waag het niet om achter mijn rug om informatie te vragen. Ik ben geen klein kind en verder heb ik mijn leven lang mijn eigen boontjes gedopt, dus hang alsjeblieft niet de bezorgde vader uit." Het klonk allemaal weer zeer onaardig maar Harry was er niet van onder de indruk en keek haar alleen maar aan.

Uiteindelijk kreeg Rosie het voor elkaar drie weken eerder dan was afgesproken het revalidatiecentrum te verlaten. Ze had een map met gegevens meegekregen en verder was haar huisarts van alles op de hoogte.

De aanpassingen in het huis waren nog maar net klaar. Een ziekenbusje bracht haar thuis en een broeder reed de rolstoel behendig het busje uit en bracht haar tot aan de deur. Vriendelijk groette hij Iris die haar zus opwachtte. Hij toeterde nog even en draaide de bus de weg weer op.

„Welkom thuis Roos we zijn blij dat je er bent." Roos slaakte een zucht van verlichting, goddank ze was weer in haar eigen omgeving, maar op de een of andere manier deed het toch een beetje vreemd aan. Ze keek om zich heen en zag de dingen die veranderd waren. Alle meubelen waren zo neergezet dat ze er met de rolstoel tussendoor kon rijden en in de eetkamer was een bed neergezet en een kast waar haar kleding in hing. In de toiletruimte was een douche geplaatst, en de kleine wastafel was vervangen door een wat groter exemplaar. Het zag er allemaal heel goed uit en Rosie dacht wel dat ze zich zelf een beetje zou kunnen redden. Ze reed terug naar de keuken waar Iris net de koffie inschonk. Er stonden wel bloemen maar ze hadden afgezien van een uitbundige thuiskomst. Rosie had steeds blijk gegeven hun gedrag vaak overdreven te vinden dus was het in huis gezellig maar wat sober.

Harry en Emmie waren inmiddels ook beneden en even later kwam Mathilde. Na de koffie kwam Rosie meteen terzake. „Ik wil graag van jullie weten hoe jullie schema eruit ziet," zei ze voor haar doen vriendelijk. Ze was tot de conclusie gekomen dat haar vader wat dat betreft gelijk had. Ze moest haar familie niet tegen zich in het harnas jagen door stug en onvriendelijk te doen. Ze had hen hard nodig al was ze evenmin van plan zich al te dankbaar op te stellen.

„Het ligt nog niet helemaal vast Roos, en bovendien moet er als het nodig is geschoven kunnen worden. Mathilde is er overdag als jij niet naar de fysio bent en ik neem zoveel mogelijk de avonden voor mijn rekening. Pap en mam helpen deze maand nog en ook Bruno en Brigit nemen af en toe een beurt voor hun rekening."

„Alsjeblieft zeg, jullie twee kunnen het toch wel aan, ik heb echt geen zin steeds iemand anders over de vloer te hebben. Het moet wel mijn huis blijven en geen inloopadres."

„Zie jij het niet een beetje té simpel Roos," interrumpeerde vader Harry zijn dochter. „Ik heb je in het ziekenhuis al gezegd dat iedereen ook nog een privéleven heeft en ze daar ook recht op hebben. Hoe beroerd het ook is je zult je toch moeten aanpassen wat de verzorging betreft. Thuiszorg komt je 's morgens uit bed helpen en ook 's avonds weer naar bed."

„Wat…!" schreeuwde Rosie, „zijn jullie gek geworden, ik ben geen seniele bejaarde hoor, ik wil die mensen absoluut niet in huis hebben. Met Mathilde en Iris moet het zo ook wel lukken."

„We zien wel," zei Harry kortaf, „voorlopig zul je de tijd dat wij er zijn genoegen mee moeten nemen. Mathilde en Iris moeten het er deze maand nog maar van nemen. Nee, einde discussie," hij hief autoritair zijn hand op. „We zijn blij voor je dat je weer in je eigen huis bent en daar moet jij ook maar even genoegen mee nemen. Wie wil er iets drinken, eten, je zegt het maar," riep hij in het algemeen.

Iris en Mathilde schoten overeind om de schalen broodjes uit de koelkast te halen en Emmie zette de soep op. „Hoe laat komt Peter?" vroeg ze aan Iris.

"Met het avondeten, helaas kan hij niet blijven, maar Pam komt ook en die blijft het weekend."

Rosie klemde haar kiezen op elkaar, voorlopig ging het niet zoals ze zich dat had voorgesteld. Iedereen deed gewoon zijn eigen ding en hield weinig rekening met haar. Peter kon nog wel eens voor grote problemen gaan zorgen door te eisen dat Iris voldoende aandacht aan hem besteedde. Ze moest eens goed nadenken welke strategie ervoor nodig was om dat te zoveel mogelijk te beperken. Haar zus had beloofd om voor haar te zorgen en daar hield ze haar gegarandeerd aan. Peter kon wat haar betrof voor de tweede keer de boom in, afspraak was afspraak vond ze.

Om een uur of vier stond Iris op en wuifde in het algemeen toen ze de kamer verliet.

„Waar ga jij heen?" vroeg Rosie op verbaasde toon.

„Ze gaat voor haar geliefde koken," lachte Emmie haar oudste dochter beminnelijk toe.

„Amuseer je kind en doe Peter de groeten, en Pam ook. Ik zie jullie morgen wel."

„Tot morgen Roos," Iris begreep dat het niet naar de zin was van haar zus maar ze moest nu even voor Peter kiezen.

Ook Mathilde stond op.

„Leuk zeg dat jullie er allebei vandoor gaan, wacht er op jou ook een man Mathilde, dan weet ik dat ook!"

Mathilde lachte maar wat en zei haar gedag. „Bruno en Brigit komen vanavond, haar moeder past op de kinderen."

Rosie reed haar stoel naar het raam en staarde met een somber gezicht de tuin in waar alles er door het slechte weer al even mistroostig uitzag. Ineens voelde ze twee armen om zich heen en een warme wang werd tegen de hare gedrukt. „Ik begrijp best dat je het moeilijk hebt lieverd maar alsjeblieft waardeer ook het goede om je heen. Iedereen houdt van je en wil je helpen maar geef ons wel de kans aan de situatie te wennen. Uiteindelijk vallen de veranderde omstandigheden voor niemand mee."

Rosie wreef even haar gezicht tegen haar moeders arm en de tranen liepen over haar gezicht. „Ik wil het wel mam maar ik heb het er zo moeilijk mee. Volgens de dokter moet ik binnen het jaar lopen want daarna is er weinig kans meer op. De therapie is zwaar en vooral als je geen enkel resultaat boekt. Ik ben echt wel blij dat jullie er zijn," besloot ze met een trieste snik.

„Zo trouweloze vriendin hoe is het op het strijdtoneel?" Pam omhelsde haar vriendin warm. „Mm, lekker ik ruik soep, heb je nog wat over voor een hongerige gast?" Ze ging aan de eetbar zitten en nam haar vriendin eens goed op. Erg florissant zag ze er niet uit, en als dat nu al zo was hoe moest ze er dan over een half jaar uitzien als Roos nog niet op de been was. „Nou vertel," noodde ze Iris onder het eten, „hoe is het met Roos?"

„Op zich wel goed maar ze begon onmiddellijk de lakens uit te delen aan Mathilde en mij. Pap stak daar meteen een stokje voor en daar was ik wel blij om. Weet je, ik besef nu dat je in je angst om iemand die je dierbaar is kwijt te raken je heel snel beloftes doet waarvan je geen enkel idee hebt hoe je ze na moet komen. Peter is net weg en ik ben bang dat hij het grootste probleem gaat vormen. Hij pikt het natuurlijk niet als ik de meeste tijd aan Roos besteedt en niet aan hem en Niels. Logisch, daar niet van, maar het maakt me bloednerveus."

„Ik was er al bang voor ook omdat Roos hem steeds geboycot heeft door onaardig en weinig gastvrij te zijn. Ik hoop van harte dat jullie voor dat probleem een oplossing vinden."

„Als Roos wat liever en hartelijker zou zijn voelde ik het niet als een opgave maar dat doe ik nu wel." „Daar zit maar een ding op en dat is je tong slijpen zodat hij weer op scherpte is en je haar lik op stuk kan geven als het nodig is. Heus meid het is dit geval de enige remedie wil je niet het onderspit delven. Maar nu genoeg over die doornige tante, wat heb je verder voor nieuws?"

„Eigenlijk heel weinig," klonk het wat timide, „ik heb wel fijne gesprekken met mijn ouders gevoerd en ik ben dolblij dat ze nog een maandje blijven. Het is echt goed tussen ons nu alles is uitgesproken. Te zijner tijd vertel ik je daar wel wat over. En verder heb ik voorlopig op mijn werk afgesproken dat ik een aantal vrije dagen inlever om twee uur eerder naar huis te kunnen. Mathilde kookt voor ons en blijft ook eten en daarna kan ze naar huis en heeft zo nog wat aan haar avond."

„Jij draait er dan alle avonden en weekenden voor op, begrijp ik dat goed?" Pam schoof met een onbeheerst gebaar haar soepkom over de eetbar.

„Ik weet het niet Pam," klonk het lichtelijk wanhopig, „ik ben inderdaad bang dat het daar op neer komt. Bruno heeft wel gezegd dat hij zou invallen als het nodig was en Brigit ook, maar met een gezin komt daar weinig van. Pieta wil ook helpen maar het botert niet zo tussen Roos en haar." Ze vertelde er maar niet bij dat Roos had geopperd dat Pam ook wel eens kon helpen aangezien ze altijd heel gastvrij voor haar was geweest.

„Hopelijk is de medische wetenschap heel snel zo ver dat ze wat uitvinden om die lamme benen in beweging te krijgen," grinnikte Pam ondeugend, „kop op meid er komt vast wel een oplossing."

„Peter heeft volgende week een paar dagen vrij en wil met mij naar een knus hotelletje in de Ardennen gaan. Maar ik vind het zo sneu voor Roos als ik er gelijk weer vandoor ga."

„Iris alsjeblieft, krijg je verstand terug," smeekte Pam haar gevouwen handen in de lucht stekend. „Je gaat Iris en ik wil geen nee, of ik weet het niet, horen. Wat heb je tegen die arme jongen gezegd?"

113

„Dat ik er over na zou denken, maar oké, ik ga met hem mee, zo goed zeurpiet?"

„Wie is er hier een zeurpiet…?"

Iris ging met Peter naar de Ardennen en ze hadden een geweldige tijd samen. Niels was uit logeren bij een schoolvriendje en Pieta genoot van haar eigen stulpje.

Harry en Emmie hielden hun oudste dochter onder de duim en de dames van thuiszorg waren iedere keer blij weer weg te kunnen gaan. Als het oude stel niet zo aardig was geweest hadden ze gezamenlijk er de brui aan gegeven. Niets was goed, ze waren niet berekend op hun taak en ze moesten zich vooral maar met oude mensen bezighouden.

De weken verstreken en tot verdriet van Iris waren haar ouders weer naar huis gegaan. Ze hadden haar op het hart gedrukt zich niet te laten misbruiken en Roos op haar nummer te zetten als ze het te bar maakte.

„Roos," zei Iris op een avond na het vertrek van hun ouders, „Peter komt vanavond eten en dan gaan we een paar uur naar hiernaast."

„Waarom naar hiernaast, hij kan hier toch ook tv kijken."

„Dat is niet hetzelfde, we willen een paar uur samen zijn, dat is toch niet zo vreemd?" Iris kon haar opkomende blos niet verhullen en Rosie die het zag kneep haar ogen tot spleetjes.

„Juist ja, dus als ik naar het toilet moet bel ik jou tijdens, ahum, wat jullie op dat moment aan het doen zijn."

De blos verdiepte zich maar Iris liet zich niet kennen: „Ja tijdens het ahum bel je maar, wacht met dat bellen overigens niet te lang anders kan het voor jou te laat zijn en dat zou je toch niet willen?"

„Ach wat assertief opeens. Het enige wat ik doe is jou houden aan de afspraak van destijds, meer niet. Was je bang dat ik dood zou gaan en dat je je belofte daardoor niet zou hoeven houden. Jammer hoe het toch kan lopen hè lieve zus?"

„Ga vooral zo door Roos, besef heel goed dat jij aan het kortste eind zal trekken en niet ik." Met die woorden ging ze naar de keuken om het eten voor te bereiden.

Roos had voor het moment eieren voor haar geld gekozen en

gedroeg zich redelijk normaal toen Peter kwam. Onder het eten babbelden ze wat over alledaagse dingen en bespraken ze de krantenkoppen.

„Kan ik nog wat voor je doen Roos?" vroeg Iris voordat ze naar haar eigen onderkomen ging. Peter was na het eten al naar de andere kant gegaan.

„Nee dank je, ik heb de koffie onder handbereik en de tv staat aan, de rest lukt wel. Veel plezier!" riep ze er dubbelzinnig achteraan.

Iris haalde haar schouders op en verliet het huis. Ze wist niet wat ze aan Roos had, het ene moment was ze superhatelijk en het andere moment kon ze poeslief doen. Het verwarde Iris en ze wist er vaak geen raad mee. Zo had Roos de laatste week steeds een smoes bij de hand als Peter wilde komen. Ze had hem liever niet meer in haar huis want ze voelde zich daardoor heel erg onvrij.

Zo ging het een tijdje door totdat Peter genoeg had van de kuren van Roos. „Luister Iris, het kan zijn dat Roos mij liever niet meer in haar huis ontvangt maar daar hebben we maling aan. Donderdagavond kom ik eten en dan blijf ik gewoon daar. Zoniet dan blijf jij in je eigen huis en dan eet ik bij jou. Ze moet stoppen met jou voor ieder wissewasje te bellen zodat je weer naar haar toe moet rennen. Ik wil ook af en toe bij je blijven slapen. Dat kan in haar huis, of ze zorgt ervoor dat ze iemand anders voor die avond heeft. Het is te gek voor woorden dat jij totaal geen vrijheid meer hebt."

„Ben je klaar of komt er nog meer," informeerde Iris koeltjes. „Het spijt me dat het je zo irriteert, dat doet het mij net zogoed, maar wat moet ik dan? Ik kan haar moeilijk aan haar lot overlaten."

Die avond kwam Peter bij Roos eten en vreemd genoeg had ze geen commentaar. Hij las de krant en keek tv en hielp Iris met eten koken en opruimen. Ze vroeg belangstellend of Peter het erg druk had en hoe het ging met Pieta en zijn zoon. Maar toen hij het slapen in haar huis ten berde bracht was het over met de welwillendheid van Roos. Ze weigerde kort en goed en ook Iris kreeg geen voet aan de grond.

De dag erop begon Iris er opnieuw over. „Roos vind je het niet een beetje kortzichtig van jezelf? We zijn geen kinderen die je wat kan verbieden. Als jij wilt dat ik iedere avond voor je klaar sta zul je evengoed water bij de wijn moeten doen. Anders moeten we andere afspraken maken en moet je iemand zoeken die mij een paar avonden per week kan vervangen."

„Tjonge jonge Iris kun je geen week meer zonder seks, je bent toch geen achttien meer. Ik heb al zolang geen seks meer en ik heb het overleefd. Trouwens zoals ik nu ben is het zonder meer voltooid verleden tijd. Je hebt niets te klagen hoor! Ik wil jullie niet samen in dit huis. Over en uit."

Er werd wat anders op bedacht en Peter kwam met een soort intercomgebeuren aanzetten. „We sluiten dat bij haar aan en op die manier kan ze ons ook 's nachts oproepen als er iets bijzonders aan de hand is."

Peter sloot de boel aan en Rosie had niet het lef er wat op aan te merken. Er was al genoeg commotie over de thuiszorg geweest die ze de deur uitgebonjourd had. Nu was het aan Mathilde en Iris om haar uit- en naar bed te brengen. Ze werkte wonderwel goed mee en probeerde zoveel mogelijk zelf te doen. Toch kon ze zich nog steeds niet uit en in de stoel verplaatsen wat het voor de beide vrouwen erg zwaar maakte, vooral met het naar het toilet brengen. Hun rug had veel te verduren want Roos was niet een van de lichtste helaas.

Als Iris van haar werk thuiskwam zat Roos achter de computer en volgens Mathilde was dat iedere dag zo. Aardappelen schillen of groenten schoonmaken was er niet bij en een was opvouwen ook niet.

Bovendien klaagde ze dat het zulk slecht weer bleef en ze niet eens lekker in de tuin kon zitten. Bruno en Brigit hadden minder geduld met haar en vooral Bruno zei haar waar het op stond.

Na weer een week vol strubbelingen werd Rosie ziek. Ze had behoorlijk hoge koorts en had nu constante verzorging nodig. Iris nam een paar weken vrij en samen met Mathilde verzorgde ze haar zo goed mogelijk. Een enkele keer kwam Pam helpen zodat Iris naar Peter kon maar dat beviel Rosie allerminst. Het was tobben

en beide vrouwen waren langzamerhand aan het eind van hun latijn. Iris had Peter al een paar maal afgebeld omdat ze te moe was. De maat was vol en Peter kwam op een avond onverwacht op bezoek. „Wil je even mee gaan naar de andere kant?" vroeg hij kortaf. „Roos moet het maar even zonder je stellen.'
„Hoelang ben je van plan je te blijven afbeulen?" vroeg hij grof, „we hebben elkaar al twee weken niet gezien en zelfs voor een telefoontje ben je te moe. Niels vraagt steeds naar je en Pieta ook, ik weet onderhand niet meer wat ik verder voor excuses moet verzinnen."
„Nou dan verzin je toch niets en vertel je de waarheid." Vermoeid legde Iris haar handen achter haar hoofd en keek langs Peter heen alsof ze hem niet zag. Tranen brandden achter haar ogen ze kon gewoon niet meer. Peter zag het en kreeg medelijden met haar. „Lieverd kom even bij me zitten," hij stak zijn handen naar haar uit en trok haar op zijn schoot. „Wat moeten we nu meisje, het kan toch niet zo doorgaan, hier gaan we allebei aan kapot. Laten we voorlopig maar een punt achter de relatie zetten, we voelen ons er geen van beiden gelukkig in op het moment. Maar in hemelsnaam Iris, zoek een oplossing voor de verzorging van je zus want Mathilde en jij gaan er op die manier aan onderdoor. Zij heeft er allang genoeg van maar wil jou niet nog meer op je schouders leggen. Ze belde me van de week op om erover te praten."
Peter kreeg geen antwoord want Iris was in zijn armen in slaap gevallen. „Ach arm ding," zei hij zacht en streelde liefdevol haar gezicht en drukte er een kus op. Op dat moment ging de intercom en Rosie vroeg wanneer Iris haar naar bed hielp want ze was moe. „Verdomme," schold Peter hartgrondig, alsof Iris niet moe was. Hij trok het niet meer, als hij zou blijven komen schold hij Roos vandaag of morgen de huid vol en dat deed zijn reputatie als begrijpende huisarts geen goed. Hij kon voorlopig beter wegblijven dat was de enige oplossing. Hulp wilde Roos van hem niet aanvaarden en een alternatief had hij evenmin voorhanden. „Schatje," hij schudde haar zachtjes bij haar schouder, „Roos wil naar bed ze is moe. Het is nog redelijk vroeg en dan kun jij ook lekker je mand-

117

je in. Slaapt Roos de nacht door?"

„Meestal wel, een enkele keer moet ze naar het toilet of ligt ze niet goed en heeft ze pijn. Maar over het algemeen gaat het wel." Ze geeuwde een paar keer en wreef over haar gezicht. Bij de deur nam Peter afscheid van Iris. „Laten we voorlopig maar afstand nemen liefje, het is beter voor ons allemaal. Ik houd van je, vergeet dat niet." hij nam haar gezicht tussen zijn handen en kuste haar teder. „Bel me als je een oplossing hebt gevonden voor het probleem Roos, maar wacht er niet te lang mee want ik ben ook maar een mens, en mijn geduld raakt echt op." Hij kuste haar opnieuw en sloot de deur achter zich.

Iris had niets gezegd want wat moest ze zeggen, ze wist het echt niet. De situatie groeide haar boven het hoofd en ze wist dat het niet lang zo door kon gaan. Het was inmiddels april. Gelukkig zouden haar ouders met Pasen overkomen. Ze verheugde zich er erg op hen weer te zien. Het was ook prettig zelf weer een stukje aandacht te krijgen want helaas kon Peter het niet meer opbrengen. „Voor de tweede keer in de steek gelaten," zei ze hardop, „het gaat een gewoonte worden." Gelaten haalde ze haar schouders op en ging naar het andere huis waar een boze Roos haar opwachtte.

Goede vrijdag kwamen hun ouders en het was voor allen een opluchting weer eens andere gezichten te zien. Harry en Emmie hadden aardig wat bagage bij zich en ook een tas met cadeautjes voor iedereen. „Zo lieve schatten," stralend begroette Emmie haar beide dochters. „Wel Roosje je ziet er gelukkig weer wat beter uit, hoe gaat het met je?"

„Het gaat wel ma al is het moeizaam. Het ergste is dat mijn leven zo saai is."

„Tja kind dat geloof ik best, maar het wordt beter weer en dan kun je tenminste naar buiten. Schiet je boek al aardig op?"

„Mm, er zit schot in maar ik ben er niet erg tevreden over, pa moet het maar eens doorlezen als hij zin heeft."

„Wat moet ik doorlezen?" vroeg Harry die de bagage boven had gebracht. Hij kuste zijn dochter op haar kruin en informeerde toen waar Iris was.

„Ze zal wel in de keuken met de koffie bezig zijn. Ze is een beetje chagrijnig de laatste dagen."

„Oh… nou ja, ik ga haar maar even een helpende hand toesteken." Emmie haastte zich naar de keuken waar ze haar andere dochter vond die lusteloos tegen het aanrecht leunde.

„Hallo lieverd," zei ze zacht en trok Iris in haar armen.

„Hallo mam," de warme omhelzing van haar moeder bezorgde haar onmiddellijk een forse huilbui.

„Ach liefje toch, wordt het je allemaal teveel? Pap en ik zagen het al aankomen en daarom zijn we hier, niet voor Roos deze keer maar voor jou. Vertel me eens wat er aan de hand is, gaat het om Roos of om Peter?"

„Peter," snikte ze zacht, „hij heeft er voor onbepaalde tijd een punt achter gezet. Ik kan het soms niet meer aan mam. Roos neemt zoveel tijd in beslag dat ik niet aan Peter toekwam. Nadat ik een paar keer een afspraak had afgezegd had hij er genoeg van en ging weg. Hij houdt wel van me maar het hele gezin voelt zich door mij verwaarloosd en dat is ook zo. Maar ik kan me niet in drieën splitsen, Roos, mijn werk en Peter. En dan heb ik het nog niet over Pam die het evenmin leuk vindt."

„Hoe heeft dat kunnen gebeuren…? Meisje we gaan vanmiddag samen de stad in en dan vertel je me uitgebreid wat er allemaal mis is gegaan. Nu gaan we koffie drinken. Was je gezicht even anders krijgt Roos onmiddellijk argwaan, je weet hoe ze is."

„Waarom moeten jullie meteen de stad in, gezellig hoor, je bent hier net!" Rosie keek verongelijkt haar moeder aan.

„Ik wil voor een zomerjas kijken want bij ons kon ik niet slagen. Bovendien mag je zus wel een paar uur ontspanning hebben vind je ook niet?"

Rosie haalde haar schouders op. Het was tegenwoordig Iris voor en Iris na, het moest niet gekker worden.

„Dan gaan wij een stukje lopen Roos, het is goed weer."

„Nee pa daar heb ik geen zin in. Buiten de revalidatie ben ik nog niet naar buiten geweest. Ik heb geen zin als een invalide behandeld te worden en ik wil mijn buren zo niet onder ogen komen."

„Hoe beroerd het ook is Roos je bent op het moment invalide, en verder, wat kunnen jou de buren schelen. Ik haal je jas en geen tegenspraak, je zou met Iris of met wie dan ook meer naar buiten moeten gaan. Iris ziet er slecht uit, dat valt jou toch zeker ook wel op?"

Rosie antwoordde niet en liet zich in haar jas helpen. Ze had absoluut geen zin om er uit te gaan maar haar vader kennende gaf hij geen duimbreed toe.

Toch moest ze later toegeven dat het haar goed had gedaan. Haar vader had het verharde pad tussen de weilanden genomen waar de schapen met hun lammeren liepen. Ze genoot van de zon op haar gezicht en van de lente die in volle gang was en voorzichtig de vele uitbottende knoppen toonde.

Ook Iris en haar moeder hadden een prettige middag. Emmie slaagde erin een jas naar haar zin te kopen en ze deed Iris een prachtige voorjaarstrui cadeau. Tegen drie uur zochten ze een leuk zaakje op om daar koffie te drinken, en waar Emmie met zachte dwang haar dochter haar verhaal liet vertellen.

Aan het eind ervan klemde ze boos haar lippen op elkaar. „Je laat over je lopen Iris, ik heb je nog zo gewaarschuwd om dat niet te laten gebeuren. Mathilde is er beter tegen opgewassen en komt voor zichzelf op. En dat jij het daarna moet bezuren is meer dan erg. We zijn nu bijna vier maanden verder en zoals het er naar uitziet blijft ze misschien wel verlamd. Het moet anders mijn kind, want ik wil niet dat jij er onderdoorgaat."

„Ja maar het gekke is mam dat ik het verzorgen van Roos niet erg vind, ik ben tot de conclusie gekomen dat het werk mij wel ligt. De schoonheidssalon geeft me geen bevrediging meer, en ik wil hierna graag wat anders gaan doen. Als Roos wat gezelliger zou zijn en niet overal commentaar op had zou het best te doen zijn en was ik ook minder vermoeid."

„Ze zuigt je leeg ik weet het. Een zus van je vader heeft die karaktertrek ook en het resultaat is dat niemand graag bij haar op bezoek komt. Maar goed, we zullen een ander plan moeten opzetten om jou meer vrijheid te geven. Maar alsjeblieft verweer je tegen Roos' dominantie anders wordt het steeds erger."

Bij hun thuiskomst zaten Roos en haar vader gezellig te keuvelen en leek er geen vuiltje aan de lucht te zijn. Roos zag er fris en opgewekt uit en ze had zelfs de tafel in de keuken gedekt en samen met haar vader alles voor de broodmaaltijd erop gezet. Harry was bezig thee te zetten en zond een knipoog naar zijn vrouw en Iris. Verbaasd sloeg Iris haar zus gade. Wat was hier gebeurd en waarom toonde Roos ineens wel enig huishoudelijk initiatief? Haar moeder had gelijk ze was niet opgewassen tegen de dominante Roos. Voorheen was dat wel anders geweest verzuchtte ze. Medelijden is echt een slechte raadgever.

De eerste paasdag was lekker druk en gezellig. Bruno en zijn gezin waren er ook. Alleen Pam ontbrak. Iris had haar wel uitgenodigd maar Pam had zich er met een doorzichtige smoes vanaf gemaakt. Het stak Iris wel omdat ze voelde dat haar vriendin niet de waarheid sprak. Maar ze liet er haar paasdagen niet door verknoeien. Ze was heel blij met het gezelschap van haar ouders die haar enorm goed hielpen met de verzorging van Roos.

Toen iedereen weg was die avond maakte Rosie zich klaar om naar bed te gaan. Ze had haar tanden gepoetst en haar nachtjapon aangetrokken. Dat soort dingen deed ze zelf. Iris had haar geholpen naar het toilet te gaan en tilde haar onder haar armen op zodat ze op haar bed kon gaan zitten. Toen ook haar benen onder het dek lagen pompte Iris het bed een stukje hoger. Emmie sloeg haar dochters gade en had bewondering voor Iris omdat het haar allemaal bijzonder handig afging.

Opeens zag ze een lichte beweging onder het dek en met gefronste wenkbrauwen bleef ze ernaar staren. Ze had het echt goed gezien want het gebeurde weer.

„Hoelang kun jij je benen al bewegen Roos?" vroeg Emmie toen ze alleen was met haar dochter.

„Wat bedoel je?" vroeg Roos argwanend. „Ik beweeg helemaal niets, je bazelt!"

„Ik dacht het niet," Emmie trok haar stoel dichter bij het bed. „En aan je rode kleur te zien weet jij dat net zo goed. Waarom Roos, waarom gedraag je je zo in en in egoïstisch?" Het bleef even stil. Rosie brak er haar hoofd over hoe ze zonder kleerscheuren onder de beschuldiging van haar moeder uit kon komen. Inderdaad, ze kon sinds enige tijd heel licht haar benen bewegen maar dat wilde niet zeggen dat ze kon staan of kon lopen en dat zei ze ook tegen haar moeder.

„Je bedondert dus je zus en schoonzus," klonk een woedende stem die aan haar vader toebehoorde. „Of je het leuk vindt of niet Roos ik bel dinsdag het revalidatiecentrum op en vraag hoever je met de therapie bent. Het is uit met je bedriegerij en ik ben benieuwd welke argumenten je gaat aandragen."

"Je belt niet zonder mijn toestemming pa en die geef ik je niet, wees daarvan overtuigd. En verder ben ik niemand een verklaring schuldig. Ik kan nog weinig dus het heeft geen enkele zin erover te gaan discussiëren. Einde verhaal, ik ga slapen." Demonstatief sloot ze haar ogen nadat ze de lamp naast haar bed had uitgedaan. Harry sloot de tussendeur en voegde zich bij zijn vrouw die in de keuken een damesblad zat te lezen.

„En?" vroeg ze opkijkend boven haar leesbrilletje, „wat was het excuus van onze oudste, als ze er al een had."

„Inderdaad, geen dus. Ze kon nog te weinig om daar ruchtbaarheid aan te geven en verder werd me ten strengste verboden het centrum te bellen. Helaas houd ik me daar deze keer niet aan. We hebben hierin ook met Iris en Mathilde te maken, en die hebben het recht te weten wat ze wel en niet kan op dit moment."

„Wat mij het meest verbaast is dat niemand het nog heeft opgemerkt. Ze moet verdraaid goed toneelspelen om die benen volkomen lam, nou ja onbeweeglijk te houden. Ze is echt een doortrapte intrigante," grinnikte Emmie opeens, „je moet het maar vol zien te houden om niet uit je rol te vallen."

"Alles goed en wel," Harry keek zijn vrouw verwonderd aan, „jij kunt er misschien om lachen maar ik niet. Iris is volkomen doorgedraaid, haar relatie is dankzij Roos' egoïsme uit, en dan heb ik het nog niet over Mathilde die ze ook een rad voor de ogen draait.

Ik ga er dinsdag persoonlijk naartoe en hoe Roos erop zal reageren laat me koud."

„Niet zo opstandig schat, ik bedoel er niets mee. Ik vind het af en toe net een soapserie, niemand heeft enig idee wat er in de ander omgaat. Ze doen allemaal hun eigen ding en hebben geen wezenlijk contact met elkaar."

Harry en Emmie hielden hun geheim nog even voor zich totdat ze van de artsen in het centrum hadden vernomen hoe Rosie er in werkelijkheid voorstond. Dat ook Rosie wijselijk haar mond dichthield mag duidelijk zijn. Wel was ze tweede paasdag poeslief tegen Iris en maakte haar zelfs aan het lachen.

Harry vertrok die dinsdag direct na de lunch. Rosie die niet had gedacht dat haar vader zijn plan uitvoerde keek haar moeder met een dreigende blik aan.

„Wat is er kind," vroeg die onschuldig, „waarom kijk je mij zo vernietigend aan?"

„Dat zul je niet weten," klonk het nors. „Het komt jullie wel goed uit hè dat ik niet mobiel genoeg ben om te voorkomen dat pa ten strijde trekt."

„Is het nooit bij je opgekomen dat je veel meer medewerking had gekregen als je je wat anders had opgesteld? Je hebt je helpsters uitgeput, niet met het werk dat ze aan je hebben maar wel met je eeuwige op- en aanmerkingen. Je vroegere charisma heb je omgetoverd in een dreigende onweerswolk die je op onschuldige hoofden laat neerkomen."

„Hè ma doe normaal, je metaforen slaan echt niet aan maar zijn gewoon dom."

„Als jij het zegt… maar ik ben je chagrijnig gedrag beu en ga in de keuken zitten. Vermaak jezelf maar lieve kind." Emmie verliet de kamer en trok de deur achter zich dicht. Ze gooide de deur naar de tuin open en zette haar stoel in het zonnetje. Heerlijk, zo kon ze het wel even uithouden.

„Waarom zit je hier mam?" vroeg Iris die met de boodschappen de keuken inkwam. „Is Roos naar de fysio?"

„Nee schat, die smoort gaar in haar eigen vet op het ogenblik. Ik heb geen zin in haar lieflijke buien dat is alles. Kom ook lekker in de zon zitten het is heerlijk!"

„Ja maar dan zet ik eerst koffie dat vind ik wel zo gezellig." Toen de koffie was gezet liep ze de kamer in om Roos te vragen of ze ook een kopje wilde. Tot haar verbazing trof ze die huilend aan. „Hé Roos wat is er met je aan de hand?" ze knielde naast de rolstoel en sloeg een arm om haar schouders. „Heb je pijn of zoiets?" Rosie schudde haar hoofd: „Denk je dat ik het leuk vind dat jullie allemaal zo' n hekel aan me hebben... iedereen heeft wel wat op me aan te merken. En jij... jij...?" stotterde ze, haar betraande wangen afvegend, „jij bent in de ogen van de familie onderhand Florence Nightingale die met haar lampje troost komt brengen. Bah, ik haat dat kwezelachtige gedrag van jou." Ze rukte zich los en draaide haar stoel. „Ga maar lekker bij je mammie zitten, ooit zocht je aandacht en troost bij mij." Moedeloos om de zoveelste afwijzing ging Iris de kamer uit.

In de keuken schonk ze koffie voor haar moeder en zichzelf in en nam een stoel mee naar het terrasje in de tuin. Tegen haar gewoonte in bracht ze geen koffie naar Rosie.

„Is ze weer bezig geweest?" vroeg Emmie die naar het teleurgestelde gezicht van haar dochter keek.

„Ja," zuchtte ze, „en toch heb ik met haar te doen. Ze kan haar handicap niet aan mam, ze zal er nooit vrede mee hebben."

„Dat zei die Bart ook, je weet wel die man die ook in het centrum was. Is hij inmiddels ergens anders naar toe?"

„Dat weet ik niet. Wat ik wel weet is dat hij Roos af en toe opbelt en dat ze dan heel kortaf is en er snel een einde aan maakt. Hij is nogal recht door zee en dat accepteert ze niet van hem. Waar is papa naar toe?"

„Dat hoor je nog wel. Heb je Pam al gebeld?"

„Ja maar ik krijg steeds haar voice-mail, ook mobiel." „Misschien heeft ze wel een lover," opperde Emmie.

„Zou kunnen maar dat kan ze dan toch wel zeggen."

„Jouw relatie is weer op de klippen gelopen en ik denk dat ze daarom niets zegt. Maar ik hoor je vader laten we maar naar binnen gaan, het wordt trouwens ook aardig fris."

Met een verbeten gezicht kwam Harry de kamer binnen. Gewoonlijk gaf hij hen een kus maar dat was er vandaag niet bij. Rosie keek hem met een woedende blik aan en kreeg een zeer koele blik terug. „Ik denk dat we er maar beter even bij kunnen gaan zitten. Het is jammer dat Mathilde er niet bij is want ook zij heeft recht te horen wat ik wil vertellen. Je zus, Iris, kan al een tijdje haar benen bewegen. En de prognose is dat ze als ze goed meewerkt te zijner tijd weer zal kunnen lopen. Wanneer dat zal zijn ligt voor een groot gedeelte in haar eigen handen. Volgens haar therapeut gooit ze er echter de laatste tijd met de pet naar. Volgens hem houdt ze daardoor bewust de verdere ontwikkeling van haar spieren tegen. Als je had gewild Roos, had je al zelfstandig kunnen staan. Je hebt het je zus en schoonzus onnodig moeilijk gemaakt en ze zullen je daar niet dankbaar voor zijn. Voor nu laat ik het hierbij maar ik wil wel heel snel duidelijkheid hierover krijgen Roos. Wat heeft je in hemelsnaam bezield om het zo te spelen, en nog sterker wat dacht je hiermee te winnen?"

Rosie zweeg en zat nerveus aan de plaid te plukken die over haar benen lag. Wat moest ze zeggen… Ze kon er helaas niets tegenin brengen nu haar vader haar met de naakte waarheid om de oren sloeg.

„Nu," zei haar vader streng, „ik neem aan dat je hierop wilt reageren."

„Waarom zou ik," antwoordde ze brutaal, „jij hebt het toch al gezegd. Wat verwacht je van me dat ik op mijn knieën, als ik dat al zou kunnen, om vergeving smeek. Ik dacht het niet. Het is slim dat je erachter bent gekomen ma, heel slim." De blik die ze haar moeder toewierp was ronduit minachtend te noemen. „En jij pa hebt een belangrijke regel gebroken, die van privacy. Jij had geen enkel recht om achter mijn rug bij het centrum te gaan informeren. Dat het die meiden niet is opgevallen dat ik mijn spieren een beetje kon bewegen is niet mijn fout, maar onoplettendheid van hun."

„Nee nou is het helemaal mooi," viel Iris haar in de rede. „Leg nu ook de fout nog bij ons neer. Je bent gewoon een vals kreng dat ons heeft misbruikt. Ik heb spijt als haren op mijn hoofd dat ik jouw rotbuien heb geaccepteerd in plaats van zoals iedereen me aanraadde jou je vet had moeten geven. Ik ga naar mijn eigen huis want ik moet eens heel goed nadenken of ik nog wel voor je wil zorgen." Iris stormde de kamer uit en sloeg met een klap de deur in het slot.

In haar eigen huis viel ze in een stoel neer. Ze kon er niet eens om huilen daar was het te gemeen voor geweest. Ze voelde zich stom, zo oneindig stom omdat ze er ook Peter aan opgeofferd had. Haar zielige zus die niet zonder haar kon, het was te bizar voor woorden. Ze pakte haar jas, tas en autosleutels en reed naar Bruno en Brigit.

„Gezellig Iris dat je er bent, blijf je eten, zeg ja?"

„Dat is goed, en als de kinderen naar bed zijn wil ik even met jullie praten." Bruno en Brigit bedwongen hun nieuwsgierigheid en hielden zich na het eten met de kinderen bezig tot het bedtijd was.

„Nou kom op met je verhaal ik ben bloednieuwsgierig," lachte Brigit. „Brun kom op met die koffie!"

„Heeft u geroepen mevrouw," grapte hij en gaf zijn vrouw snel een kus.

„Zitten en je mond houden," gebood ze streng, „je zus heeft nieuws."

„Zo leuk is het allemaal niet," protesteerde Iris, „het gaat om Roos."

„Ja, dat begrepen we al, wat heeft onze diva nu weer uitgespookt?" Iris vertelde hen wat haar vader te weten was gekomen en ook hoe koel Roos daarop had gereageerd. „Het was heel vreemd, het lijkt net of je een nare droom hebt gehad en je daaruit wakker bent geworden. Ik was helemaal ontdaan en dan schoof ze ons nog in de schoenen dat we het hadden moeten zien."

„Het is niet te geloven, wat een geslepen tante is het toch. Wat ben je nu van plan… kun je niet een instantie inschakelen om op die manier die zware en ondankbare taak van je schouders af te laten nemen? Je zal toch wel gek zijn als je ermee doorgaat, en Mathilde ook."

„Houdt even je snater, Bruno en geef je zus de tijd zelf een beslissing te nemen. Ik kan je verontwaardiging wel begrijpen maar daar schiet niemand wat mee op. Wat ik er zo bijzonder aan vind is dat ze zichzelf erin getraind heeft haar benen zo slap mogelijk te houden. Ik zou dat echt niet kunnen."

„Ik denk dat ze daarom ook altijd die plaid over haar benen wilde. Zo kon je niet zogauw zien of ze haar benen bewoog. Ik in ieder geval niet. En bij het op bed leggen wilde ze onmiddellijk het dek over zich hebben, om dezelfde reden natuurlijk. Wat ons het meest bezighoud is waarom ze het spel zo gespeeld heeft. Wat is de winst ervan, ik zie het niet!"

„Nee," peinsde Brigit, „je wilt toch zo gauw mogelijk lopen en je eigen leven weer oppakken. Hoe reageerde ze eigenlijk toen je vertelde dat Peter voorlopig niet kwam?"

„Heel laconiek moet ik zeggen. Ze wist wel dat hij het niet aan zou kunnen. Want, zo zei ze, hij is te egoïstisch om je met iemand te delen. Hij wil dat je zo spoedig mogelijk zijn huishoudster, cq kinderoppas en de brave doktersvrouw speelt. Ach ja, het was te verwachten, dat was haar commentaar."

„Allemachtig... die durft zeg! Egoïstisch, en dat uit haar mond, ongelofelijk." Bruno schudde zijn hoofd, hij kon het werkelijk niet begrijpen dat iemand zo'n dubbele rol kon spelen.

„Als de gemoederen wat zijn bedaard zou ik eerst maar eens om uitleg vragen," raadde Brigit haar schoonzus aan, „maar doe dat als je met haar alleen bent en je ouders weer naar huis zijn. Ze zal zich anders steeds aangevallen voelen en krijg je niet echt te horen waar het om gaat."

„Ik denk dat je gelijk hebt, maar evenmin weet ik wat ik er mee aan moet. Ik ben nu wantrouwig ten opzichte van Roos en dat zal niet snel veranderen vrees ik. Hoe Mathilde zal reageren... poeh dat zal ook niet mals zijn. Maar ik ben blij even met jullie gesproken te hebben, de scherpte van de pijn is er in ieder geval een beetje vanaf. Schatten ik ga weer op huis aan. Komen jullie morgenavond eten, mam wil er iets speciaals van maken."

„Dat is prima zusje, je ziet ons wel verschijnen. Ik neem aan dat de kinderen ook welkom zijn?"

„Natuurlijk gekkie, dat weet je toch! Nou ajuus en tot morgen."

Bruno en Brigit keken elkaar hoofdschuddend aan, zo zout hadden ze het nog nooit gegeten. Van je familie moet je het maar hebben, meesmuilde Bruno.

Het werd een gezellig familie-etentje ware het niet dat het kennelijk aan Roos voorbij leek te gaan. Ze hield zich afzijdig en had het liefst alleen in de keuken gegeten. Ze was, en zeker nu, kennelijk het zwarte schaap in de ogen van haar dierbare familie, en als ze eerlijk was moest ze toegeven dat het niet echt prettig aanvoelde. Emmie had een ouderwetse pan hachee gemaakt met een stevige groentesoep als voorafje. „Mam," zei Bruno kreunend op zijn buik kloppend, „er kan echt niets meer bij."

„Dat is dan jammer lieverd want je zult toch nog een stukje griesmeelpudding met bessensap moeten verorberen."

„Mogen we dan even een half uurtje uitbuiken?" vroeg hij smekend aan zijn moeder die hartelijk in de lach schoot.

De anderen voelden daar ook wel voor en met hun ellebogen op de tafel gesteund ontspon zich spontaan een gesprek over de verlangens en verwachtingen die ze koesterden. Rosie en Iris hielden zich buiten het gesprek ieder om een andere reden. De verbroken relatie deed nog te veel pijn om er over te praten, en Iris had er weinig hoop op dat het een derde keer wel goed zou komen. De tranen die ze 's nachts vergoot waren weliswaar opgedroogd maar dat wilde niet zeggen dat ook de pijn was verdwenen. Iris stond op en ging naar de tuin waar de kinderen touwtje aan het springen waren. Ze hadden het touw om een boom gebonden en hielden het om de beurt vast zodat de ander erin kon springen. Iris nam die taak maar op zich tot groot plezier van Kevin en Sandra die baldadig elkaar bij het touw probeerden weg te duwen.

Harry en Emmie waren weer op weg naar het noorden nadat ze nog een aantal keren hadden geprobeerd contact met hun oudste dochter te krijgen. Maar die hulde zich nog steeds in stilzwijgen.

Dat gebeurde ook bij het opstaan en naar bed gaan. Het werden verplichte handelingen waar geen enkele warmte aan te pas kwam. Iris was naar Mathilde gegaan om met haar te praten maar die was er niet ondersteboven van. Ik had er al zo'n vermoeden van had ze gezegd, maar iedere keer als Roos in de gaten kreeg dat ik naar haar benen keek hield ze ze doodstil. Ze had van haar vrije dagen genoten in de tijd dat Harry en Emmie er waren en nu kon ze er wel weer tegenaan. Maar ik heb een verrassing waar jij en ik blij mee zullen zijn. Alleen Roos wat minder ben ik bang. Iris had haar nieuwsgierig gevraagd wat die verrassing was maar lachend had ze haar wijsvinger op haar mond gelegd.

HOOFDSTUK 6

Iris had nog een dag vrij en wachtte vol spanning op de komst van Mathilde. Roos zat buiten in haar rolstoel met een boek op haar schoot toen Mathilde de tuin inkwam. „Mogge schone zus," zei ze vrolijk en gaf haar een aai over haar hoofd. „Ben je blij me weer te zien?" Rosie haalde haar schouders op en mompelde wat onduidelijks wat Mathilde echter wel verstond.

Ze liep naar binnen om Iris te begroeten. „Ha de koffie is klaar daar heb ik trek in, zullen we ook buiten gaan zitten?" „Heerlijk," lachte Iris, „eindelijk een vrolijk gezicht dat doet me goed." Ze nam het blad met de koffie op en liep achter Mathilde de tuin in. Zwijgend zette ze de koffie voor Rosie op het tafeltje en ging een stukje bij haar vandaan zitten.

„Nu we er allemaal vanaf weten Roos denk ik dat het tijd is om spijkers met koppen te slaan. De tijd die achter ons ligt moeten we maar zo snel mogelijk vergeten en ons op de toekomst richten. Een toekomst waarin jij weer zult gaan lopen en we alledrie weer een eigen leven op kunnen gaan bouwen. Het is misschien een kwestie van een half jaar, en dat halve jaar zullen we intensief gaan gebruiken om jou op de been te helpen. Misschien kun je je vastgeroeste tong losrukken en deel nemen aan het gesprek," zei Mathilde scherp. Het bleef stil. „Oké dan luister je maar gewoon wat ik je ga vertellen, ook goed. Met ingang van volgende week komen iedere dag twee vrouwen je een aantal uren helpen met de therapie. Het zijn tweelingzussen van mijn overleden man die hier in de buurt in een seniorenflat zijn komen wonen. Truus is fysiotherapeute geweest en Marie sportmasseuse. Ze zijn net 65 jaar geworden en hebben hun baan opgezegd. Het zijn potige vrouwen die jij op geen enkele manier een oor aan kunt naaien om het maar even plat te zeggen. Ze nemen contact op met het centrum en zullen afspreken dat je daar nog maar één keer per week naartoe hoeft te gaan."

Roos keek haar aan en haar blik had dodelijk kunnen zijn ware het niet dat het zo niet werkte. Ze draaide schielijk haar rolstoel en reed naar haar eigen gedeelte achter de schuifdeuren die ze nadrukkelijk dichtschoof.

„Wauw… dat wordt oorlog, nou ja," voegde Iris er grinnikend achteraan, „dat was het toch eigenlijk al. Wat een reuze mop, hoe heb je dat voor elkaar gekregen?"

„Wel… je vader had me onderweg naar huis gebeld toen hij naar het centrum was geweest. Hij wilde dat ik het als eerste hoorde. Ik sprak mijn vermoedens uit en hij was erg blij dat het voor mij niet onverwacht kwam. Enfin, de volgende dag ben ik naar Truus en Marie gegaan en we hebben een bijzonder leuke dag gehad. Ze hebben in Brabant gewoond en gewerkt en ik heb ze altijd erg gemist. Truus is met vijftig jaar gescheiden en Marie heeft wel een aantal relaties gehad maar heeft er op een gegeven moment een punt achter gezet. Ze was al dat gedoe, zoals het noemde, meer dan zat en een leven alleen trok haar wel aan. De twee zussen hebben altijd goed met elkaar kunnen opschieten en ze hebben nu de tijd van hun leven. Golfen, reizen, en ze hebben ook al een kaartclub, kort gezegd ze amuseren zich kostelijk. Maar na mijn verhaal aangehoord te hebben zijn ze van plan verandering te brengen in het passieve leven van ons Roosje. Ik hoop dat ze nog een beetje tact over hebben want daar zijn ze niet zo erg goed in. Marie heeft heel wat stoere voetballers aan het jammeren gekregen met haar manier van masseren, maar ze waren wel in de kortst mogelijke tijd weer op het veld te vinden."

Iris wreef nadenkend met haar vingers over haar lippen na de uiteenzetting van Mathilde. Dat er iets moest gebeuren daar was ze het helemaal mee eens maar dat nam niet weg dat het gevoel van medelijden met haar zus niet verdwenen was. Ze moesten niet op een vernederende en denigrerende manier met haar omgaan, dat accepteerde Iris niet.

„Hallo, ben ik in beeld," Mathilde liet haar hand voor de ogen van Iris heen en weer gaan.

„Ja dat ben je helemaal. Maar ik kan het niet over mijn hart verkrijgen, hoe vervelend Roos ook gedaan heeft, dat ze de grond in wordt getrapt. Ze mogen best een beetje grof of grappig zijn, maar Roos' eigenwaarde en respect mogen niet aangetast worden. Daar ga ik in ieder geval niet mee akkoord. Ze heeft de laatste weken genoeg over zich heen gekregen, ook al heeft ze het verdiend, om in stilte haar wonden te likken."

„Oké," suste Mathilde wat kalmer nu, „zo verschrikkelijk zijn ze nu ook weer niet. Ze hebben een groot inlevingsvermogen, zijn vrolijk en hebben humor, is het zo naar je zin piekeraarster? Ga jij deze week maar eens een goed gesprek aan met je zus en gebruik daar je vaardigheden voor die je voorheen ook had. Juist ja, het vlot van de tongriem gesneden zijn. En wat staat er nu op het programma? De hulp is in jouw huis bezig… komt ze hier ook nog iets doen of is dat voor een andere dag gepland?"

„Ze komt eind van de week hier weer het een en ander doen. Tja wat doen we met deze dag…?" Iris rolde peinzend haar lippen in- en uit- en staarde de zonnige tuin in. „Wat denk je van een barbecue… we nodigen Bruno en aanhang uit, maar eerst ga ik Pam proberen te bereiken die lijkt in rook te zijn opgegaan."

„Goed, dan ruim ik de boel een beetje op en maak vast een boodschappenlijst."

En zowaar, na weken kreeg Iris eindelijk haar vriendin aan de lijn. „Tjee, je leeft dus nog," viel Iris met de deur in huis, „je leek wel van de aardbodem te zijn verdwenen. Wat is er met je aan de hand, heb ik iets gezegd of gedaan waar je boos om bent?" Ze gooide er meteen maar alles uit dan had ze dat alvast achter de rug.

Het bleef na de uitval van Iris even stil en toen zei Pam zachtjes: „Niets van dat alles Iris. Alleen…"

„Je hebt een relatie gekregen, nou en… moet je mij daarvoor mijden? Nou ja ik zeg zomaar wat natuurlijk want ik weet nergens van."

„In één keer goed Iris. Inderdaad heb ik kennis gekregen aan een leuke man."

„Als het maar niet met Peter is," gooide Iris er met angst in haar stem tussendoor."

„Nee zeg ben je gek geworden?" schrok Pam. „Maar op de een of andere manier kon ik er niet toe komen je het nieuws te vertellen. Je zit nog steeds in een beroerde situatie met Roos, en dan heb je nog verdriet om de verbroken relatie met Peter. En als ik je dan stralend mijn nieuwtje kwam vertellen... misschien laf maar ik kon het niet."

„Nou ja, ik heb ook niet veel van me laten horen maar de laatste weken heb ik je steeds gebeld en kreeg ik je voicemail."

„Ik weet het, en nu ik je zo hoor praten spijt het me dubbel. Wat kan ik doen om het een beetje goed te maken?"

„Vandaag komen barbecuen en alle nieuwtjes aanhoren. Nee van Peter heb ik niets meer gehoord en zelf bel ik ook niet. Kun je vanavond komen?"

„Ik kan nu al komen als je dat wilt. Ik heb drie dagen vrij en mijn galant is in hogere sferen, ofwel hij is piloot op chartervluchten en is op weg naar Athene."

„Gaaf joh, leg die telefoon neer en kom hierheen. Maar kom eerst naar mijn stulpje dan kan ik je vast het een en ander vertellen. Neem een foto van je galant mee, het liefst in uniform."

Grinnikend legde Pam de telefoon neer, haar vriendin klonk bijna weer net als vroeger. Ze verheugde zich op een paar dagen samen met haar, nou ja samen, met de hele familie dan.

„Zo malle druif, mij voor een vriendje in de steek laten, foei," begroette Iris warm haar vriendin. Neem een stoeltje mee dan gaan we op het terrasje bij het water zitten. Ik kom zo met een fles wijn want er moet getoost worden."

„Leuk, ik krijg er geen speld tussen," mompelde Pam die met een stoel en haar tas elk onder een arm geklemd de tuin inliep.

„Ze klinkt vrolijk maar volgens mij een tikkeltje opgeschroefd." Ze beëindigde haar alleenspraak toen ze Iris met een zwaar beladen blad aan zag komen.

Pam nam de wijnfles die vervaarlijk wiebelde onder de arm van Iris vandaan voor het kostelijke vocht eruit zou kiepen.

„Hé, ik ben niet van de honger hier gekomen hoor, en bovendien moet ik een ruime plaats in mijn maag reserveren voor vanavond."

"Niet zeuren en schenk de wijn in dan doe je wat nuttigs."

"De goede sfeer had gelukkig niet geleden onder de tijdelijke verwijdering tussen de vriendinnen. Iris bewonderde de foto van de in uniform gestoken Marvin. „Hij is inderdaad heel aantrekkelijk om maar niet te zeggen dat het een stuk is," grijnsde Iris, „je hebt lang gewacht maar je komt dan gelijk met iets bijzonders aan. Mijn complimenten."

„Jouw Peter is anders ook niet te versmaden," flapte Pam er zonder nadenken uit. „Ach sorry schat, wat kan ik toch een oen zijn."

„Maak je niet bezorgd, zo'n tere ziel heb ik nu ook weer niet. Proost Pam, op jou en Marvin, en op de goede afloop van het Roosgebeuren."

Het volgend half uur stond in het teken van de ontwikkelingen rond Rosie, en ook de komst van haar ouders en alles wat er met Pasen was gebeurd. Het laatste deel waar Mathilde mee kwam vond Pam het meest spannend.

„Tja en nu maar afwachten of het aanslaat en of Roos de zusters accepteert."

„Waarom nodig je hen ook niet uit voor de barbecue dan heb je kans dat het ijs sneller breekt."

„Mm, dat weet ik niet hoor, ik wil Roos niet gelijk voor de leeuwen gooien. We moeten trouwens eerst de kans krijgen samen het een en ander uit te praten voor we hieraan beginnen. Ik wil van haar weten waarom ze zo heeft gehandeld, en ook waarom ze zo raar gereageerd heeft op het verbreken van mijn relatie met Peter. Weet je, ze keek er bijna triomfantelijk bij, dat realiseerde ik me later pas."

„Nou ja je kunt het toch aanslingeren en dan hoor je vanzelf wel hoe ze erop reageert."

Tegen lunchtijd gingen ze naar Roos' huis. Pam liep direct op Rosie af en gaf haar een hand en een zoen. Iris hield haar adem in maar Rosie wees haar niet af. „Zo Pam weet je eindelijk de weg naar dit huis weer te vinden... we hebben je gemist hoor!"

Iris wist niet wat ze hoorde en stootte Mathilde aan. „Weet je wat Pam voorstelde... dat je schoonzussen vanavond ook komen. Dan

verloopt de kennismaking misschien wat soepeler, zei ze."
„Dat is niet eens zo'n slecht idee maar hoe verkopen we dat aan Roos?"
„Tja, daar zit natuurlijk de kneep... wil jij dat op je nemen?"
„Bedankt, erg aardig van je, nou ja ik zie wel!"
Pam en Iris deden de boodschappen voor de barbecue, en Mathilde zocht een goed moment om Roos op de komst van de beide zussen voor te bereiden. Gelukkig had ze het zwijgen opgegeven en was ze weer enigszins aanspreekbaar.
„Roos," begon Mathilde vol goede moed, „wat je ook van ons denkt we willen je geen van allen verdriet doen of buiten je om beslissingen nemen." Rosie snoof vervaarlijk maar zei er verder niets op.
„Zou het niet beter zijn Marie en Truus vanavond ook uit te nodigen? Dan kun je op een wat meer ontspannen wijze kennis met ze maken. En als je echt niet wilt dat ze je komen helpen dan gebeurt het ook niet. Maar denk er goed over na wat die twee voor je kunnen betekenen." Haar pleidooi sloeg aan, en al was het niet van harte Rosie stemde toe in de kennismaking vanavond.
„Het maakt allemaal niet meer uit Mathilde, mijn leven is door anderen overgenomen en ik ben het moe ertegen te ageren. Het is allemaal anders gegaan dan dat ik had verwacht, inclusief mijn verzorging. Ik wil zo snel mogelijk op de been zijn dan kan ik mijn eigen leven weer leiden en ben ik baas in mijn eigen huis zonder inmenging van anderen. Ik wil rust want ik ben al dat in- en uitlopen van iedereen meer dan zat. Nodig die twee uit en ik hoop dat het een beetje klikt. Laat me nu maar alleen Mathilde, want ik wil een beetje tijd voor mezelf."
Mathilde was blij met de toestemming maar had er een heel dubbel gevoel bij. Roos had de strijd verloren, en gek genoeg deed het pijn haar zo te zien en te horen. Wat is een mens als het eropaan komt toch tegenstrijdig.
De zussen vonden het leuk om op die manier te komen kennismaken. Ze hielden van lekker eten en sloegen dat als het even kon ook maar liever niet af. Het was hen aan te zien al beweerden ze

altijd erg gezond te leven. Nou ja die waarheid moest je maar voor lief nemen.

Rond zes uur was iedereen present op de zussen na. De barbecue stond reeds te gloeien en wachtte geduldig tot hij aan het werk kon gaan. Een enorm lawaai kondigde de zussen aan en portieren werden dichtgeslagen. Mathilde liep naar voren om hen op te vangen.

„Hallo, leuk optrekje hier," baste de stem van Marie, en een stem een octaaf hoger beaamde het. „Ook hallo kom verder, iedereen zit met smart op jullie te wachten want dan kan het eetfestijn beginnen. Roos is nog in de kamer en daar neem ik jullie eerst even mee naartoe."

Het was een komisch gezicht te zien hoe de kennismaking verliep. De twee denderden op Roos af en schudden haar enthousiast de hand. „Wat woon je hier leuk," Marie had meteen de juiste toon gevonden. „Een flat is gerieflijk maar saai. In Brabant hadden we ook een vrij huis en het is voor ons aardig afzien dat kan ik je wel zeggen."

„Mag ik er misschien ook even bij?" vroeg Truus strijdvaardig, „houd niet gelijk alle aandacht voor jezelf Marie." Ze schoof haar zus opzij en ging op de rand van een stoel zitten die ook meteen het gevaar liep ontzet te raken. „Ik ben Truus maar dat had je natuurlijk al begrepen. We zien er gevaarlijker uit dan dat we zijn al moet je die poezelige handjes van mijn zus niet uitvlakken. Bereid je maar voor op een paar martelpraktijken. Verder zullen we het wel goed met elkaar kunnen vinden."

Rosie was niet gauw uit het veld geslagen maar deze twee giganten lieten haar wel met een mond vol tanden zitten, ook al waren het kunsttanden. „Uh nou ja, leuk met jullie kennis te maken, Truus en Marie. We zullen wel zien waar het schip strandt."

„Ach meid geen paniek hoor. Jullie hebben een aardig watertje voor de deur maar ik beloof je dat daar geen enkel schip in zal stranden."

Rosie schudde verbijsterd haar hoofd en liet zich door Truus naar de tuin rijden. Het was niet te vermijden dat iedereen in de tuin alles rond de kennismaking met Rosie had gehoord en ze hoefden dan ook niet meer te worden voorgesteld. Een bulderend gelach van de twee brak alle eventuele vooroordelen in stukken en de avond kon niet meer kapot. Rosie nam niet echt deel aan de gesprekken maar zonderde zich evenmin af.

„Heb je wel genoeg vlees in huis gehaald?" fluisterde Bruno zijn jongste zus in het oor, „volgens mij kunnen ze wel een paard op."

„Hè jasses geen paard hoor, een koe of varken prima maar daar blijft het bij," ze stootte hem plagerig in zijn zij.

„Nou ja, een legbatterij met kippen dan!" plaagde Bruno verder.

„Engerd, houd je mond en zorg maar dat ze allemaal wat te drinken krijgen."

„Goed zus," hij gaf haar een kus op haar neus, „blij je weer een beetje vrolijk te zien, het is té lang geleden."

„Het is maar goed dat we geen buren hebben," zei Rosie op droge toon aan het eind van de avond toen de zussen wegwaren, „we zouden anders de politie op ons dak krijgen."

Mathilde schoot in de lach: „Bij de fanfare in Brabant sloegen ze ook geen gek figuur. Maar ze zijn niet altijd zo luidruchtig hoor, het is misschien hun manier om enige verlegenheid te maskeren."

„Laten we het hopen, maar in ieder geval zullen ze wat leven in de brouwerij brengen."

„Wat een figuren," lachte Pam toen ze samen met Iris de tuin weer in orde bracht.

„Ik heb in jaren niet zo gelachen," bekende Iris met haar hand op haar pijnlijke maag gedrukt. „Zullen we als we klaar zijn nog wat drinken in de tuin? Nu Roos naar bed is hebben we de tijd aan onszelf."

„Dat is een goed idee," Pam bracht de overige kussens naar de bijkeuken en deed een nieuwe citroenkaars in de houder.

Het was intens stil in de tuin en dat was een verademing na de zeer luidruchtige avond.

„Iedereen mocht de twee meteen," zei Iris en keek naar de donkere fluwelen sterrenhemel. „Gek hè, waar wij een half jaar moeizaam mee bezig zijn geweest wordt dan ineens zomaar door anderen overgenomen en met veel meer succes. Ik ben er blij om maar het geeft me wel een gevoel alsof we gefaald hebben met onze moeizame pogingen Roos te helpen."

„Zeg ben je helemaal gek geworden? Roos heeft jullie lelijk om de tuin geleid en daarbij ook nog waargenomen. Nee schat, jullie kunnen alleen maar trots zijn op jezelf. Je ouders dito. En verder moeten we nog maar afwachten of dit project kans van slagen heeft. Als die drie bij elkaar zijn heb ik het idee dat Mathilde en jij in een mijnenveld lopen. Er hoeft maar iets te gebeuren en knal, het is over en uit met de therapie."

„We wachten maar af Pam. Maar vertel jij nu eens waar je de man van je dromen hebt ontmoet en hoelang dit stiekeme gedoe al aan de gang is."

Dat liet Pam zich geen twee keer vragen. Het was ver na middernacht toen ze eindelijk hun bed opzochten. Gelukkig liet Rosie niet van zich horen en kon ook Iris van haar nachtrust genieten.

Iris vond het heel jammer dat ze er niet bij was toen de dames zich kwamen melden. Truus oefende met Roos en Marie gaf haar eerst een stevige massage om de spieren te activeren. Ze hadden afgesproken iedere dag een paar uur te komen behalve de woensdag want dat werd de vaste dag om naar het centrum te gaan. Daar hielden ze nauwlettend haar vorderingen bij en lieten haar voor het eerst met toestellen werken zij het dan op aangepast niveau. Gek genoeg bloeide Rosie op nu ze de juiste behandelingen en aandacht kreeg.

Er groeide een vreemde vriendschap tussen Rosie en haar beulen, zoals ze hen gekscherend noemde. Het werken aan haar boek werd voorlopig in de ijskast gezet want na het oefenen en masseren was ze hard toe aan een paar uur rust op bed, of in een stevige ligstoel in de tuin. Nu iedereen wist dat ze haar benen wat kon bewegen hoefde al die geheimzinnigheid ook niet meer en dat luchtte Rosie enorm op. Al met al brak er voor allemaal een betere tijd aan.

Op een mooie zonnige zondag besloot Iris het al te lang uitgestelde gesprek met haar zuster aan te gaan. Ze waren maar samen en Rosie was in een redelijk goeie bui.

„Roos ik wil met je praten over het afgelopen half jaar. Ik kan het nog wel langer uitstellen maar daar heb ik geen zin in. Het ging niet tussen ons en daar heb ik nog steeds een beroerd gevoel over. Er is zoveel wat ik niet begrijp… ik wil daar eindelijk een antwoord op."

„Nou brandt maar los zou ik zeggen…!"

„Als het je hetzelfde blijft zou ik willen dat jij je verhaal vertelde vanaf de val. Je houding naar mij toe was vanaf het begin al belabberd en dan druk ik me nog erg zachtjes uit. En als ik er goed over nadenk is het hier samen wonen met jou zeker geen succes gebleken."

„Om met het laatste te beginnen… hoe kun je zeggen dat het geen succes was, je bent een heel andere persoonlijkheid geworden of heb je dat zelf niet in de gaten? Geen overmatig drankgebruik, geen dubieuze feestjes en geen drugs, nou me dunkt dat dat een aardig succesvolle verandering is. Natuurlijk heb je dat niet alleen aan mij te danken maar deze plek heeft er wel voor gezorgd dat het proces terug naar je echte zelf hier begonnen is. Je was een gevoelloze marionet waar iedereen aan de touwtjes kon trekken, behalve Pam en ik want wij werkten daar niet aan mee. Je bent nu tot in je poriën gefrustreerd en dat kan ik best begrijpen want daar heb ik voor een groot gedeelte schuld aan, ik geef het toe. Maar voor het eerst in je leven heb je karakter getoond en dat is ook heel wat waard. Als je overigens wat minder sullig naar mij toe was geweest had ik ook anders op jou gereageerd. Je zielige gezicht van oude lappen als je me in het ziekenhuis kwam opzoeken, bah, je had je zelf in de spiegel moeten zien. Zelfs toen ik griep had was je een watje, je had je scherpe tong verloren en daar had ik gemeen plezier in. Inderdaad, en zeker in het begin. Ik kon je psychisch alles hoeken van de kamer laten zien zonder dat je uit je vel sprong." Rosie nam haar koud geworden koffie van de tafel en trok een vies gezicht.

„Ik zet wel verse, geef je kopje maar." Iris stond op en wilde de kamer uitgaan maar Roos riep haar terug.

„Zie je nou wel suffie die je bent... ik hoef maar een vies gezicht te trekken bij de koude koffie of trutje rent alweer. Je zou ook kunnen wachten tot ik je vraag of je alsjeblieft verse koffie wilt zetten. Snap je nou eindelijk wat ik bedoel. Ik heb in jou het beste naar boven gehaald en jij in mij het slechtste." Iris ging weer zitten en ze schoten allebei in een bevrijdende lach. „Spiegelbeeld zeg eens even ben ik net zo stom als jij..." zong Rosie, zij het een beetje vals van toon. Toen was het helemaal gedaan met de ernst en voor het eerst, eigenlijk sinds ze samen woonden, lachten ze onbedaarlijk om de waarheid die in de woorden opgesloten lag. „Kom hier, jij kleine idioot," Rosie stak haar armen uit en Iris rolde erin terwijl tranen van opluchting over haar wangen rolden.

„Ik bel morgen die andere suffe eend wel op, en daar bedoel ik Peter mee die zich even hard door mij liet ringeloren als jij. Kijk troel, de kant die jij de afgelopen tijd hebt laten zien heeft niemand, ook je ex niet, ooit van jou gezien. De reden ervan, ach, die kennen we nu allemaal, je traumatische jeugd. Mijn andere kant, en dan bedoel ik niet dat ik af en toe wat dominant ben, maar de gemene en valse kant van mijn karakter, ach, die toonde ik evenmin aan de buitenwereld." Weer proestten ze het samen uit. Toen zei Iris, de lachtranen uit haar ogen vegend: „Zeg alsjeblieft, dan krijg je verse koffie."

„Zuster Clivia, krijg ik alsjeblieft een overheerlijke bak verse koffie en graag wat lekkers erbij."

Het was niet te geloven, dacht Iris onder het koffiezetten, ze had er slapeloze nachten van gehad hoe ze het Roos kon zeggen. En nu was het een dolle klucht geworden waar ze allebei een beetje boosaardig plezier in hadden.

„Hier Roos de Geweldige, je koffie met een gevulde koek. Is het zo naar uw zin?"

„Het kan er mee door freule. Kom weer zitten want ik kan er wel luchtig over doen maar ik ben je veel dank verschuldigd en dat meen ik. We hebben er allebei van geleerd en we zullen ook nooit meer vergeten dat we elkaars spiegelbeeld zijn. Jij kon vroeger behoorlijk scherp en gemeen zijn en nu ben ik tot de conclusie gekomen dat het evengoed in mij zit. Maar hoe zit dat nu met onze ouders en Bruno? Analyseer dat eens voor mij!"

„Gut ja, eens even denken..." Iris dronk haar koffie met kleine slokjes om de tijd te krijgen erover na te denken.

„Ik denk dat papa dat ook wel in zich heeft, die kan soms redelijk scherp uit de hoek komen heb ik gemerkt."

„Ja tegen mij," klonk het meesmuilend.

„Oké, maar dat komt ook omdat ik ze nu pas heb leren kennen en jij al een beeld van ze had. Dan mam, tja, ik vind het verschrikkelijk wat ze heeft meegemaakt, ze moet door een hel zijn gegaan. Denk je eens in hoe ze zich heeft gevoeld... suïcide neigingen, en dan nog het ergste zoals ze zelf zei, niet weten of je je kind wat aan zou doen. Hormonen zijn rare dingen die je hele leven kunnen verpesten. De gekmakende angsten die ze heeft uitgestaan. Als ze in onze kamer was stond ze met haar handen op haar rug en haar nagels erin gedrukt, dat kun je je toch niet voorstellen Roos. Als ze papa niet had gehad... ik durf hierin niet eens verder te denken." Iris rilde alsof ze het koud had en sloeg haar armen om zichzelf heen.

„Kom hier Iris, niet huilen het is gelukkig allemaal goed gegaan. Maar het zorgde er wel voor dat jij niet echt een moeder hebt gehad. Bruno ook niet maar later wel toen het goed met haar ging en ze niet meer terug hoefde te komen bij de psychiatrie. Ik heb het altijd geweten al begreep ik er in het begin niet veel van. Maar pa heeft het me uitgelegd en me erover laten lezen. Toen was voor mij de situatie gerechtvaardigd. Bruno en Brigit wisten het ook al een tijdje, alleen jij niet."

„Nee, papa zei dat ze me het niet wilden vertellen zolang ik... nou ja, zolang ik nog het scherpe en gevoelloze kreng was."

„Dat heeft hij vast niet zo verwoord," berispte Rosie haar zus.

„Nee, maar ik was het wel."

„Over en sluiten, maar nu ons broertje, hoe zie jij hem?"

„Gosh, effe denken, misschien is hij wel een samenraapsel van ons allemaal. Mam was heel gelukkig in haar zwangerschap en dat was ze bij mij zeer zeker niet. Misschien heeft dat er wel voor gezorgd dat Bruno zijn positieve karakter laat zien, want ongetwijfeld heeft hij ook zijn donkere kanten. Die heeft iedereen tenslotte. Bovendien heeft hij Brigit, en dat is zeker een belangrijke factor in het geheel geweest, en nu nog. Ze hebben fijne kinderen en ze zijn er samen heel blij mee. Hij is er tot nu toe het beste afgekomen, en dan maar bidden dat het zo blijft."

„Ja, je zag het aan mij. Je valt van de trap en je leven maakt op dat moment een omwenteling van 180 graden. En dan heb ik het nog niet over alle ellende die je om je heen hoort en ziet. Maar goed we worden te ernstig nu. Is alles uitgepraat of ligt er nog iets op het puntje van je tong? Aha, ik zie het al, Peter!"

„Ja, ik vond je reactie toen ik vertelde dat het weer uit was, erg, hoe zal ik het zeggen..."

"Kwaadaardig, boosaardig, gemeen, vals, en ja je hebt nog gelijk ook. Laatste verontschuldiging... Vanaf je geboorte heb ik mee voor jou gezorgd. En later toen ma na Bruno's geboorte was opgenomen heb ik het van haar overgenomen. Ik was toen al volwassen en kon het goed aan ook al bemoeide tante Toos zich ermee. Ik moest zonodig mijn studie afmaken en uiteindelijk was dat wel een goede beslissing. Maar goed, jij was mijn kind, vooral omdat Bruno later mee naar het noorden verhuisde. Ik had met hem een andere band. Ik hield van hem maar meer van jou. Jij hoorde bij mij, jij was mijn bezit om het zo maar eens te zeggen. Je ging uit huis toen je achttien was en ik inmiddels met Daaf was getrouwd. Ik was mijn grip op jou verloren. Natuurlijk bleef ik van je horen en jij van mij maar dat was allemaal heel oppervlakkig. Om het verhaal niet te lang te maken, Pam belde mij op een gegeven moment op omdat ze zich grote zorgen om je maakte. Zelf had ze te weinig invloed op jou om je ervan te weerhouden helemaal naar de bliksem te gaan. Sorry voor mijn woordkeus. Ik zag mijn kans schoon. Ik wilde al jaren dolgraag een beetje buitenaf wonen en nu werd mij een dubbele kans geboden. Ik zou eindelijk buiten wonen en jou weer onder mijn hoede krijgen. Ik achtte het onmogelijk, ik schaam me, dat je ooit nog een relatie zou krijgen en op die manier was je weer van mij. Ik had geen eigen kinderen en heb jou altijd een beetje als mijn kind beschouwd. Het ging goed, jij veranderde in een aardige en zorgzame vrouw, en ja, toen kwam Peter en die gooide mijn leven weer in de war. Ik heb er alles aan gedaan jullie van elkaar te verwijderen en ook dat lukte aardig." Rosie stopte even om haar zus de gelegenheid te geven eropin te gaan. Maar die zat alleen maar triest met haar handen in haar schoot voor zich uit te staren.

„Iris, scheld me alsjeblieft uit, maak me desnoods uit voor rotte vis, maar doe wat! Ik voel me al schuldig en beroerd genoeg, geloof me."

Het enige wat er gebeurde was dat ze allebei in huilen uitbarstten. Konden ze het positieve van het begin van hun gesprek nog terughalen? Het leek er niet erg op vooral toen Iris naar de keuken liep en de deur achter zich dichttrok. Ze huilde alsof haar hart zou breken en toch was het niet alleen om zichzelf en Peter. Nee, ze had ook met haar zus te doen hoe onlogisch dat ook was. Rosie had willens en wetens haar leven willen ruïneren, hoe kon ze? Aan de andere kant sijpelde er ook begrip in haar hersenen door, begrip voor de eenzaamheid van haar zus. Hoe was haar huwelijk met Daaf geweest, ze had er geen idee van, evenmin hoe ze het verdriet geen kinderen te kunnen krijgen had verwerkt. Maar was dat alles een reden om haar ongelukkig te maken? Of hadden ze toch allebei schuld aan de ontstane situatie. Had ze Rosie moeten afremmen in haar bezitsdrang, want dat was het, dat was duidelijk. Had ze Peter vóór moeten laten gaan boven de verzorging van haar zus, of had ze voor haar relatie op moeten komen door een andere oplossing te zoeken? Mijn god wat ingewikkeld allemaal.

En dan nog een helder inzicht... had ze niet dezelfde bezitsdrang getoond in het verzorgen van Roos? Deed zij het niet het beste, en wilde ze haar zus wel aan een ander overlaten... Wilde ze zichzelf niet opofferen om haar zus nog een beetje geluk te geven door er voor haar te zijn...

Allemaal waar. Maar wat kon je met die vaststelling, een leerschool hoe het niet moest, dat was het geweest voor hen allebei. En de omstanders hadden geprobeerd er verandering in te brengen. Hun ouders, Pam, Mathilde en zelfs Peter.

Iris schonk twee glazen water in en ging terug naar de kamer waar Roos in elkaar gedoken in de rolstoel zat.

„Hier drink wat," Iris duwde haar een glas water in haar handen. „We hebben allebei grove fouten gemaakt Roos en daar komen we nog wel een keertje op terug. Laat het voor nu genoeg zijn. Ik heb wel enig begrip voor je manier van handelen al is het niet goed te praten. Maar ik heb het zelf zover laten komen en dat is evengoed stom. We moeten het gesprek laten bezinken Roos, maar in één ding heb je gelijk, we hebben ons onbewust aan elkaar gespiegeld. Ik ga nu een uurtje naar de andere kant en dan kom ik terug om je naar bed te helpen, goed?"

Rosie knikte en keek haar met een gekwelde blik aan, maar Iris wilde er nog niet aan toegeven, het deed nog te veel pijn.

Ze konden de positieve sfeer van het begin van de avond niet terughalen, maar er was evenmin sprake van boosheid of rancunegevoelens tijdens het naar bed brengen. Roos legde even haar hand tegen Iris' wang en dat bracht een mager glimlachje teweeg.

„Goedemorgen Roos goed geslapen?" Marie trok het rolgordijn op en liet de zon binnen. Truus kwam met een kop thee en een bordje met twee beschuiten. Ze hadden met Mathilde afgesproken dat als zij er 's morgens zouden zijn zij ook Roos uit bed haalden. Zo kon Mathilde haar eigen leven weer een beetje leiden en dat was ook nodig.

„Niet best geslapen dus," vulde Marie voor Rosie in. „Oké dat kan gebeuren, verorber je ontbijt op je gemak dan drinken Truus en ik ook even een kop thee. Tot zo!"

„Ik had nog wel een uur door kunnen praten maar dat was dan toch tegen de muur geweest," zei Marie en beet met graagte in een beschuit met hagelslag.

„Ach ja, maar dat is waar ook, Iris belde vanochtend en vertelde dat Roos en zij een heftig gesprek hadden gehad. Het was goed verlopen maar ze waren er allebei wat ontdaan over geweest. Vandaar dat ze niet juichte toen je haar een goedemorgen wenste.

Laat haar maar even bijkomen en dan drinken we na het douchen en aankleden eerst even koffie in de tuin."

„Oké generaal je zegt het maar!"

„Moet al dat gedoe vandaag?" vroeg Rosie onder het aankleden, „ik heb een gigantische hoofdpijn."

„Tja," Truus krabde zich eens op haar hoofd, „maar wat wil je dan?"

„In de tuin zitten met een boek, dat lijkt me prima."

„En dan zitten piekeren, ja daar knap je echt van op. Heb je vanavond niet een beter gevoel als je weer een stap dichter bij het lopen bent gekomen?"

„Heeft Iris je gebeld?"

„Ja, maar ze heeft alleen maar gezegd dat jullie een nogal zwaar gesprek hebben gehad. Ze was zelf ook niet erg in haar hum."

„Nee dat kan ik me voorstellen. Hebben jullie haast vandaag?"

„Niet echt, wil je liever eerst een poosje in de tuin zitten en dat we je vanmiddag laten oefenen?"

„Als dat zou kunnen, graag. Mathilde zou komen koken om een uur of vier."

„Dat kunnen wij ook, al zijn we wel op een Hollandse pot ingesteld. Ik bel Mathilde wel dat ze niet hoeft te komen. Wij gaan wat werken in je tuin want daar zijn we ook goed in. Nou ja we zijn eigenlijk goed in alles!"

„Tja, eigen roem... ik dacht al wat stinkt hier zo!"

„Gelukkig Roos je humor is weer terug. Wij gaan een overheerlijke bak koffie zetten en ik geloof dat mijn geliefde zuster met beslag aan het rommelen is, dus met een beetje geluk krijgen we vanmiddag ook nog wat bij de koffie. Maak maar een lijstje voor de boodschappen of heb je al wat in huis?"

„Ja, rundvlees en andijvie. Gebakken aardappeltjes zouden me ook wel smaken en een verse pudding ook."

„Marie deze rozenstruik neemt me waar, moet je horen welke wensen ze voor vanavond heeft!"

Marie kwam er gezellig even bijzitten en liet ook haar commentaar op Roos los. „Je begrijpt toch zeker wel dat je bij ons aardig in het krijt komt te staan. Dat betekent dat als jij weer kunt lopen wij die schuld bij beetjes komen innen."

„Je doet maar," lachte Rosie, „het zal me een waar genoegen zijn voor jullie te koken."

„Ach je zou kunnen beginnen met ons straks in de keuken te komen helpen. Je tere handjes kunnen vast wel een aardappel-schilmesje vasthouden."

„Ja, en afdrogen kan ze ook vanuit de rolstoel. Stom toch dat je familie daar niet op is gekomen," deed Marie een duit in het zakje.

„Zorg voorlopig maar voor de koffie ik zit te versmachten," Rosie trok een grimas, ze zaten aardig op haar nek maar het kon haar eigenlijk weinig schelen. Ze waren vrolijk en gezellig en daar had ze nu dubbel behoefte aan.

Die avond deed Rosie naar Iris een laatste bekentenis. Ze dronken een glas wijn en Rosie hield het hare omhoog: „Ik wil je een laatste bekentenis doen Iris."

„Ik ben moe Roos, er is van de week een beetje veel over me heen gekomen."

„Dat weet ik maar al tegoed meisje, maar het ik houd het kort deze keer. Het versloffen van de therapie had eenzelfde lading als waar ik het eerder over had. Ik wilde je niet kwijt en hoe langer het duurde dat ik niet kon lopen hoe langer jij bij mij bleef. Het is oerstom, ik weet het, maar het zij zo!"

„Ik was al tot dezelfde conclusie gekomen Roos, ik hoefde een en een maar bij elkaar op te tellen. Laten we het voorlopig maar laten rusten en zorgen dat onze band hersteld wordt."

„Ga je Peter nog bellen?" vroeg Rosie enigszins timide.

„Voorlopig niet, ik moet eerst met mezelf in het reine komen want ik heb evengoed een aantal stomme fouten gemaakt. Bovendien wil ik van baan veranderen en daar ben ik in gedachten ook erg mee bezig."

„Wat leuk, ik wist niet dat je het daar niet meer naar je zin had. Het is voor jou een ontzettend vermoeiende tijd geweest, je kunt spreken van een dubbele baan. Weet je zeker dat je het schoonheidsgebeuren vaarwel wilt zeggen?"

„Dat hoeft niet speciaal. Ik heb mijn voelhorens eens uitgestoken en ik zou wel in een ziekenhuis of in een andere zorginstelling willen werken. Ik heb ook mijn kappersdiploma en ik kan daar alle kanten mee op. Het lijkt me heel fijn om mensen die zich beroerd voelen of ziek zijn geweest een soort metamorfose te geven zodat hun eigenwaarde weer wat stijgt. Ach, ik klets maar wat want ik weet helemaal niet hoe dat in zijn werk gaat."

„Ik vind het helemaal geen slecht idee. Je hebt het laatste half jaar bewezen dat je meer in je mars hebt dan alleen maar schoonheidsspecialiste zijn. Maar dan kun je maar beter wel contact met Peter opnemen want hij is de aangewezen persoon die je daarbij kan helpen. En bovendien is het een prima binnenkomertje."

„O je bedoelt dat ik me op neutraal terrein begeef door hem daarover op te bellen zonder mezelf bloot te geven. Mm, daar zal ik eens goed over nadenken, zover was ik zelf nog niet, bedankt!"

„Dat bloot geven hoeft niet persé direct hoor, wacht daar nog maar even mee!"

„Engerd," Iris gooide een krant naar Rosie toe die ritselend uit elkaar viel.

Augustus was koud en nat en er heerste een balorige stemming in het huis van Roos. Hoewel er een enorme vooruitgang was met het opnieuw leren lopen waren de zussen niet altijd tevreden over de inzet van Rosie. Ze miste duidelijk een stuk discipline.
In het centrum was ze zover dat ze tussen de leggers van een brug liep maar het ging allemaal tergend langzaam. De oefeningen die Truus haar liet doen werden ook maar matig gewaardeerd. Na alle commotie van een paar maanden geleden leek ze vol goede moed te zijn maar dat liep steeds meer terug.
„Roos, we willen even met je praten. Ik weet het is rotweer, je spieren doen pijn en je bent moe. Allemaal tot je dienst maar zo komen we er niet. Als je zo doorgaat moet je maar weer vaker naar het centrum om met de toestellen te werken. Het schiet hier te weinig op, en je weet we zijn geduldig genoeg met je geweest." Truus keek een ogenblik naar het moedeloze gezicht

van Rosie maar ze weigerde medelijden te tonen.

„Wat is er aan de hand Roos," mengde Marie zich in het gesprek, „waar is je spirit gebleven?"

„Ach het duurt allemaal zo lang... ik hoopte dat ik van mijn tuin kon genieten en mijn werk kon blijven doen maar alles is onder me weg gevallen. Ik woon nog maar kort hier en heb weinig plezier gehad van mijn huis en omgeving. Het afhankelijk zijn hangt me danig de keel uit ook al bedoelt iedereen het goed. Jullie allemaal zijn fantastisch en ik ben je heus dankbaar... ach ik weet het niet meer, ik zie het gewoon niet meer zitten." Een traan gleed over haar wang die ze ongeduldig wegveegde.

„We beleggen vanavond een vergadering met degene die je het meest hebben geholpen. We maken vandaag wat lekkers klaar en we zorgen dat het een gezellige avond wordt. Plannen maken dat lijkt me het meest voor de hand liggend, wat denk je ervan Roosje?" tetterde Truus gemoedelijk.

Rosie schoot in de lach, als Truus Roosje zei dan verwachtte je een enorme bloemenkraam vol rozen in allerlei kleuren. Ze had echt een stem als een scheepstoeter.

Maar het werkte wel. Vanwege het slechte weer hadden ze voor een grote pan erwtensoep gezorgd met alles erop en eraan. Roggebrood met spek en een abrikozenvlaai als toetje.

Lachend over de vreemde keus van het eten schoof iedereen aan tafel. Mathilde en Pam waren als laatste gearriveerd.

„Jullie kunnen lachen," baste Truus maar zo te zien is de bodem van de pan al in zicht. Koffie en taart straks dat lijkt me beter."

Nadat alles weer was opgeruimd en de koffie stond te pruttelen zette Iris de stoelen in vergaderstand. Rosie werd in een makkelijke stoel gezet want de rolstoel wilden ze zo min mogelijk meer gebruiken.

„Als jullie het goed vinden leidt Truus de vergadering," zei Marie en gaf haar een bescheiden hamer.

„Hé, denken jullie wel om mijn mooie tafel," schrok Rosie, „Truus kennende beukt ze erop los."

Een hilarisch gelach was het gevolg want je had maar weinig voorstellingsvermogen nodig om het voor je te zien.

Zonder naar Rosie te kijken gaf Truus een zacht tikje op haar knie waarbij haar been onmiddellijk omhoogschoot. Rosie schrok maar Truus lachte haar lieflijk toe voor zover dat mogelijk was. „Je reflexen zijn prima kind, het is dus een kwestie van doorzetten."

„Een hoera voor Truus," riep Pam. Iedereen stak zijn hand op en riep zo hard mogelijk hoera. De stemming zat er goed in en voorzitster Truus nam daarna het woord.

„Zoals we allemaal hebben gemerkt is Roos niet meer echt gemotiveerd om aan haar herstel te werken. Ze is moe-de-loos om het zo maar te verwoorden. En dan kun je tegen haar zeggen oké, het is jouw leven, jouw lijf en nog meer van dat soort clichè's maar daar komen we niet verder mee. Heeft iemand een idee hoe we haar kunnen stimuleren het laatste traject af te leggen. Marie schenk koffie in en geef ze een flink stuk taart. Op die manier krijgen ze voldoende tijd om na te denken en sluiten we onzinideeën uit."

„Wat heb je toch een verfijnde manier om ons iets duidelijk te maken," grijnsde Pam die de zussen een megasucces vond.

Toen iedereen zijn portie binnen had tikte Truus Mathilde op haar hoofd. „Een voor een graag en te beginnen bij jou."

„Mm, tja leuk als je de spits moet afbijten. Ik stel voor de oefeningen en massage naar de tuin te verplaatsen."

Een klein lachsalvo golfde door de kamer want de regen sloeg hard tegen de ramen en een forse donderslag kwam er achteraan. „Heeft iemand misschien een beter idee?" grijnsde Truus spottend.

„Geeft niets hoor Mathilde, mocht de zomer ooit nog terugkomen dan is jouw idee best de moeite van het overdenken waard." Iris zond haar een kushand.

„Slijmbal," mompelde Marie met pretlichtjes in haar ogen. „Iris als jij het zo goed weet is het nu jouw beurt om met een voorstel te komen."

„Ja daar was ik al bang voor. Misschien wat minder hard masseren Marie, is dat een optie?"

„Zo komen we er niet stelletje pubers, we kunnen wel blijven lachen en gek doen maar dan lacht Roos het laatst ben ik bang."
„Vakantie," gooide Pam de knuppel in het hoenderhok. „Toewerken naar een beloning in de vorm van een vakantie, desnoods met zijn allen."
Ietwat glazig keken ze naar Pam of die een andere taal was gaan spreken.
„Bingo," Truus sloeg de hamer redelijk hard op de tafel maar niemand sloeg er acht op.
„Dat kan wel eens het beste idee zijn voor vanavond... of heeft iemand nog een beter idee?"
Twijfelachtige blikken, nee niemand wist iets beters te verzinnen.
„Oké, voorstel vakantie voorlopig aangenomen. Roos mijn duifje wat vind je ervan?" Het taalgebruik van Truus bleef hilarisch en ze hadden dan ook moeite hun gezicht in de plooi te houden.
„Op zich erg leuk, maar hoe stellen jullie je dat voor en wat is de deadline?"
„In jouw geval een niet echt gelukkig gekozen woord Rozelien," berispte Marie haar, „tenminste het eerste deel ervan."
„Niet muggenziften zus, het was een goeie vraag van Roos."
Daarna barstte een gekakel los dat model kon staan voor een immens kippenhok.
Truus ving er af en toe een paar zinnige dingen uit op die ze meteen maar opschreef.
„Als we nu eerst eens aan Roos vroegen wat zij leuk zou vinden, dat is toch wel de hoofdgedachte."
„Tja, ik zou het op zich erg leuk vinden met deze ploeg wat te gaan doen, afgezien of het ooit haalbaar zal zijn."
„Daar moet je wel vanuit gaan Roos, want dat is je doel. En zoals we hier zitten was iedereen vóór het plan met zijn zessen te gaan."
Iris streek haar zus even over haar gespannen gezicht. Het was tenslotte aan haar of het wel of niet door zou gaan.
„Wat lijkt jou leuk?" vroeg Rosie aan Truus.
„Mij lijkt een busreis wel leuk, gezellig met zijn allen knus in de bus."

Er werd hevig geprotesteerd. „Ben je gek geworden," kreet Rosie verschrikt. „Zie je mij al iedere dag in een bus hobbelen met een beenruimte van niets."

„Nee, in het vliegtuig heb je veel beenruimte, ja in de business class misschien. Ik vind het voorstel van mijn zus niet zo gek." Marie knikte er ten overvloede bij.

„Een bootreis is ook leuk, op de Moezel of Rijn of weet ik veel waar die dingen naartoe varen," opperde Mathilde.

„Ik ben niet zo gecharmeerd van al dat water en gewiebel, dan lijkt me die bus toch een beter plan. Maar kunnen we niet met een paar auto's op eigen gelegenheid gaan dat is toch ook leuk?" Roos bleef naar andere wegen zoeken voor haar vakantie. De rest van de avond besteedden ze aan het voor- en tegen van de voorstellen en uiteindelijk kwam toch de bus uit de bus. Grappige woordspeling, zei Truus later. Verder zou iedereen een briefje inleveren met daarop een aantal voorkeurlanden en het meest favoriete zou het dan worden. Rosie zelf had niet echt een voorkeur dus het maakte haar niet uit.

Het werkte, Rosie had een nieuwe energiebron aangeboord en niemand had meer iets te klagen.

Iris was inmiddels ook tot rust gekomen en op een dag was ze zover dat ze de moed had Peter te bellen. Of hij verrast was kon ze niet uit zijn toon opmaken maar hij was evenmin afstandelijk. Hij begreep best dat het een hele overwinning was voor Iris om hem te bellen.

„Leuk dat je even belt Iris, gaat het goed bij jullie?" Misschien een verkeerde openingszin maar je moest toch ergens mee aankomen. „Ja het gaat best maar ik bel je om advies te vragen."

Zo, ze belde om advies te vragen en niet om over hen samen te praten. Hij hield de telefoon stevig omklemd en liet niets van zijn teleurstelling merken. „Ik zou zeggen kom maar op met je vraag."

Nerveus en hakkelend vertelde ze hem waar het om ging. „Ik weet dat er in de zorgsector af en toe wel vraag is naar hetgeen ik doe. Ik wilde jou vragen of jij misschien weet of er ergens een vacature beschikbaar is. Jij komt veel in zieken- en verzorgingshuizen dus zodoende..."

Het klonk allemaal wat magertjes maar ook daar had Peter begrip voor. „Ik zal navraag voor je doen, en verder vind ik het een heel goed plan van je. Het hele gebeuren rond Roos heeft je veranderd en dan is het tijd je horizon te verbreden. Zogauw ik iets weet bel ik je, oké?"

„Ja fijn. Hoe is het met iedereen?" vroeg ze toen schuchter. „Prima Iris," klonk het kortaf. Ze zijn je al vergeten wilde hij er hatelijk achteraan zeggen, maar dat ging hem uiteindelijk toch te ver.

„Nou ja, dan hoor ik je nog wel." Iris legde haastig de telefoon neer voor ze in tranen uitbarstte.

Ook Peter voelde zich onvoldaan over het korte gesprek. Het was ook heel moeilijk om in zo'n situatie de juiste toon te vinden. Enfin, Iris had in ieder geval de eerste stap gezet. Diezelfde dag ging ook bij Rosie de telefoon. Ze had net een uurtje geslapen en zat op de rand van het bed te wachten tot een van de zussen haar verder zou helpen.

„Je spreekt met Bart, Roos, hoe is het met je?" Het bleef even stil, ze had eigenlijk geen zin in een gesprek, maar ze had hem al zo vaak met een smoes afgepoeierd dat ze er ditmaal niet onderuit kon. „Het gaat prima Bart en met jou?"

„Zijn gangetje, ik woon eindelijk op mezelf in een aangepaste woning. Ik kan me goed redden in ieder geval. Ik hoorde dat je met een boek bezig bent en ik vroeg me af of je mijn hulp daarbij zou willen aanvaarden, twee weten ten slotte meer dan één!"

„Leuk aangeboden maar ik ben er voorlopig even mee gestopt. Ik heb naast de therapie niet zo veel tijd om er mee bezig te zijn."

„O, ja dan houdt het wat dat betreft op. Dan even wat anders, ik zou het leuk vinden een keer koffie bij je te komen drinken."

„Hoe denk je dat te doen?" vroeg ze enigszins hatelijk.

„Met een ziekenbusje Roos," antwoordde hij rustig. „het leek me leuk een beetje bij te praten. Ik weet dat je in het centrum niet veel van me moest hebben maar je hebt nooit gezegd wat je tegen me had."

Allemachtig dacht Rosie wat een gezever, hoe moet ik daar nu weer vanaf komen. „Ik heb niets tegen je Bart maar ik had gewoon geen zin in het soort gesprekken waar jij kennelijk zo dol op was."

„Weet je, ik vond jou direct al een bijzondere vrouw hoe onaardig je ook tegen mij, maar ook tegen je familie deed. Je verzette je tegen alles en dat deed ik ook in het begin."

„Ik denk niet dat ik er zin in heb Bart, alles rondom het centrum vergeet ik liever zo snel mogelijk. Het was niet de fijnste tijd van mijn leven." Ze ging niet in op zijn complimenten die ze redelijk misplaatst vond.

„Dat was het voor niemand. Ik vraag je niet om een relatie met me aan te gaan Roos, maar om doodgewoon eens een gesprek met iemand te hebben die niet tot de familie of kennissenkring behoort. Daar is toch niks mis mee dacht ik."

Rosie dacht na, ze had in haar hart helemaal geen hekel aan Bart. Ze wist zich alleen geen houding te geven. Het was zo lang geleden dat ze met een man een persoonlijk gesprek had gevoerd. Nou ja, het kon eigenlijk geen kwaad hem een keertje te laten komen.

„Oké dan, ik bel je van de week op om een afspraak te maken. Het moet dan wel 's avonds want dan is mijn zus in haar eigen huis en kan ze te hulp schieten als ik haar nodig heb. Je weet dat ze naast me woont."

„Ja dat weet ik. Een avond is prima. Leuk Roos ik verheug me er al op. Ik hoop dat ik snel iets van je hoor. Dag hoor, zorg goed voor jezelf."

"Poeh, ik heb ja gezegd, wat een ontwikkelingen allemaal." Ze hoopte maar dat ze er niet al te veel mee geplaagd zou worden. Voorlopig zou ze het alleen tegen Iris zeggen.

De weken vlogen om. Bart was een avond geweest en het was hen allebei goed bevallen. Ze hadden gezellig gepraat en een fles wijn soldaat gemaakt. De volgende keer zou Rosie naar hem toe-gaan als ze zover was dat ze met behulp van een paar krukken zelf naar het toilet kon. Iris zou haar dan brengen en op bezoek bij Pam gaan. Maar zover was het nog niet.

Peter had gebeld om Iris een vacature door te geven van het centrum waar Rosie had gezeten. Ze hebben daar de boel verbouwd, vertelde hij, en er is een ruimte vrij gemaakt voor een beauty- en kapperssalon.

Daarnaast kwam er een winkeltje met kaarten en snuisterijen, en een gedeelte waar men koffie kon drinken en een hapje kon eten. Het revalidatiecentrum had wat faciliteiten aanging een behoorlijke achterstand gehad.

Of ze hem wilde laten weten of ze de baan had gekregen.

Ze wist niet dat hij er persoonlijk voor had gezorgd dat ze als eerste zou mogen solliciteren.

Iris had niemand iets verteld en was er opgewekt op de afgesproken dag naartoe gegaan. Ze maakte een goede kans, vertelde men haar na afloop van het gesprek. Er waren nog drie kandidaten maar die waren niet gespecialiseerd in beide disciplines, gezichtsverzorging en haarverzorging.

Twee weken later kreeg Peter een juichende Iris aan de telefoon.

„Ik heb de baan Peter, nog hartstikke bedankt dat je de vacature voor me hebt gevonden. Ik ben er zo blij mee. Ik heb twee maanden opzegtermijn maar dat is prima want de verbouwing is nog niet klaar. Als ik daar begin kan ik gelijk met de inrichting ervan helpen, dat maakt het nog leuker. Ze ratelde nog even door totdat ze bemerkte dat ze niet veel respons op haar enthousiasme kreeg.

„Ben je er nog Peter," vroeg ze gealarmeerd.

„Jazeker Iris en ik vind het heel fijn voor je. Je weet in ieder geval wat je voor de toekomst wilt."

"Dat is niet waar Peter en dat weet je net zo goed als ik," zei ze zacht. De ballon was doorgeprikt en met een vaart leeggelopen, en nu was ze weer met beide voeten op de aarde beland.

„O ja, weet ik dat? Waarom moest het dan zo lang duren eer ik iets van je hoorde, en dan nog wel voor een andere baan."

„Ik was al blij dat ik een goede reden had om je te bellen. Zo makkelijk is het niet om de eerste stap te zetten. Hoe gek het ook klinkt Peter het had ook echt niet eerder gekund. Er is zoveel gebeurd, zoveel gepraat ook met mijn ouders. Alle misverstanden zijn nu uit de weg geruimd en dat maakt de weg vrij voor ons allemaal. Ik houd nog steeds evenveel van je, daar is echt niets in veranderd."

„Ik houd ook nog net zo veel van jou, daar is ook niets in veranderd," capituleerde Peter zuchtend. „Maar een derde crisis overleef ik niet als je dat maar goed onthoud. En ik weet best dat het niet allemaal aan jou lag. De eerste keer was het door mijn kortzichtigheid en de tweede keer... ach, misschien was het inderdaad beter zo en kon jij eindelijk de balans van je leven opmaken. Ik ben benieuwd naar je verhalen maar het meest ben ik toch benieuwd naar een zekere Iris. Denk je dat ze op korte termijn tijd voor me vrij kan maken?"

„Ik denk het niet alleen ik weet het wel zeker!"

Een afspraak werd gemaakt en met een totaal ander gevoel dan een paar weken geleden legden ze beiden de telefoon neer.

Met stralende ogen en een warme blos op haar gezicht liep Iris naar de tuin en ging op haar lievelingsplaatsje aan het water zitten. De kikkers kwaakten, de vogels zongen en de bladeren aan de bomen ruisten gezellig in de wind. Eenden zaten elkaar achterna en een aantal ganzen een eind verderop lagen voldaan in de zon onder een boom. Iris dacht niet dat ze zich ooit zo gelukkig had gevoeld, en zo één met de natuur waarmee ze haar geluk deelde.

Hoe poëtisch en lyrisch Iris ook dacht, overal kwam een einde aan en riep de plicht weer. Ze had beloofd bij Rosie te gaan eten en daarna een spelletje kaart te spelen. Erg prozaïsch dat wel, maar ach dacht ze nu weer nuchter, het kon slechter.

De weken vlogen voorbij en de herfst was al een stuk op streek toen het grote moment aanbrak en Rosie voor het eerst zonder krukken de kamer door kon lopen. Het was een feestje waard en dat gebeurde dan ook. Haar ouders kwamen over en verder waren er het gezin van Bruno, de vijf helpsters, en ook Peter die nu volkomen aanvaard was door Rosie. Ze had hem zelfs, en voor haar doen vrij nederig, haar excuses aangeboden. En last but not least was ook Bart van de partij. Peter had hem opgehaald en zou hem aan het eind van de avond weer naar huis brengen. De enige die ontbrak was de stoere piloot maar iedereen had al wel kennis met hem gemaakt.

En het werd een feest, er werd zelfs gedanst. Met vereende krachten werden de meubels aan de kant geschoven en het kleed opgerold. Natuurlijk zou Rosie de dans moeten openen en dat deed ze ook in de armen van haar vader die haar trots en heel voorzichtig een paar pasjes liet maken. De andere aanwezigen klapten en zongen haar toe. Beverig liet Rosie zich na die paar pasjes weer veilig naar haar stoel brengen waar ze met glanzende ogen en samen met Bart de dansparen gadesloeg. Ze had het toch maar mooi voor elkaar en liep binnen de cruciale termijn die de artsen hadden gesteld. Ze knikte naar Bart die een heel goede vriend van haar was geworden.

Eens in de twee weken zagen ze elkaar en ze hadden al plannen gemaakt om tweede kerstdag naar een concert te gaan.

Iris was inmiddels aan haar nieuwe baan begonnen en had het reuze naar haar zin. Haar creativiteit werd erg op prijs gesteld en daar genoot ze buitensporig van. Ze vond het heerlijk de mensen die kort of voor langere tijd in het centrum moesten wonen te helpen met hun uiterlijk en kapsel. En verder was haar relatie met Peter beter dan ooit, en ook Niels geloofde er nu in dat ze na verloop van tijd bij hen zou komen wonen. Pieta had er nooit aan getwijfeld dat het goed zou komen, maar ze had haar met rust gelaten om haar niet in verlegenheid te brengen.

Dan was er natuurlijk nog de komende vakantie. Rosie had ruimschoots haar doel bereikt. Ze waren met elkaar overeengekomen dat Italië het land was waar ze naartoe wilden gaan. Het was geen vreselijk dure reis en eigenlijk had Rosie er nog steeds haar bedenkingen over. Ze zag toch wel op tegen de lange busreis, maar het enthousiasme van de zussen maakte een heleboel goed.

Ze hadden folders gehaald, en bekeken welke excursies ze wilden gaan doen. Maar eerst kwamen nog de kerstdagen en oud en nieuw. Rosie liep steeds beter en ook zekerder maar durfde nog niet alleen naar buiten. De zussen kwamen nog maar twee keer per week en Rosie hoefde niet meer naar het centrum, alleen nog voor een halfjaarlijkse controle. Ze waren zeer tevreden over het verloop van haar herstel.

„Wanneer denk je bij Peter in te trekken?" vroeg Rosie op een winteravond onder het eten. „Want je ziet hem eigenlijk vrij weinig doordat hij veel op pad is."

„Ik wist dat van te voren en daar heb ik niet echt een probleem mee. Ik ben al zo lang alleen dat ik het evengoed prettig vind af en toe mijn eigen tijd in te kunnen delen. En om op je eerste vraag terug te komen, het zit er voorlopig nog niet in dat ik bij ze gaat wonen. Ik kom in een kant en klaar huishouden dat loopt als een solide machine. Ik kom daar dan binnen met heel andere ideeën en regels en dat heeft tijd nodig. Ik praat daar veel met Pieta over die precies begrijpt wat ik bedoel. Ik wil geen verlengstuk zijn van Ankie noch van Pieta. Maar zij hebben wel allebei hun stempel op het huis en op de opvoeding van Niels gedrukt. Zelfs Peter is aan hun regelmaat gewend en zal er evengoed moeite mee hebben als dat verandert."

„Ja, maar hoe moet het dan? Het beste zou zijn als jullie samen een ander huis betrokken en jij zonder Pieta daar de scepter zwaaide. Een andere oplossing is er volgens mij niet."

„Daar heb je gelijk in en dat zal ook zo moeten gebeuren want eerder ga ik niet met hem samenwonen. Ik wacht daarmee tot we terug zijn van vakantie en daarna probeer ik het probleem voorzichtig aan te roeren. Maar had jij een speciale bedoeling met die vraag?"

„Nee niet echt. Alleen hebben Mathilde en ik het er wel eens over gehad dat als jij bij Peter in zou trekken zij wel in jouw huis wilde gaan wonen. Ik moet er niet aan denken een vreemde naast me te krijgen. En we zouden dan ook verzekerd zijn van elkaars gezelschap. Kijk de zussen zijn ook mijn vrienden geworden en die zullen we ook geregeld zien evenals Bart. Maar dan ben ik toch de meeste tijd alleen. Maar zoek er alsjeblieft niets achter want ik vind het alleen maar fijn als jij hier voorlopig blijft wonen. Een schoonzus is prima maar het is niet echt eigen. En zoals het de laatste tijd gaat vind ik het met jou echt super gezellig."

„Ik zoek er verder ook niets achter Roos, ik vroeg het me alleen maar af. En ik vind het zelf ook een gerust idee als Mathilde hier komt wonen. Ik ben trouwens de kerstdagen bij Peter maar dat wist je al, toch?"

„Nou het was nog niet zeker zei je, maar het is natuurlijk prima. Pa en ma komen over en tweede kerstdag ga ik als het niet sneeuwt of ijzelt naar Bart. Je weet dat ik met pa en ma alles heb uitgesproken hè? Het klinkt een beetje dul maar we zijn nu toch net een echte familie?" Rosie lachte er verlegen bij.

„Ik vind het alleen maar fijn, dat weet je. We hebben lang genoeg gedwaald met zijn allen. Maar even over Bart, ik vind het hartstikke leuk dat jullie samen naar dat kerstconcert gaan. Jammer dat de invaliditeit van Bart wel blijvend is. Het is echt een leuke vent. Dat is hij nu natuurlijk ook," vergoelijkte ze haar opmerking. „Maar je begrijpt wel wat ik bedoel."

„Zeker lieve zus, je insinuaties zijn overduidelijk, maar geloof me daar heb ik geen behoefte meer aan."

„O suffie dat bedoel ik helemaal niet," zei Iris beschaamd, „ik bedoelde er alleen maar mee dat jullie samen overal naartoe zouden kunnen gaan. Een rolstoel maakt het altijd een stuk ingewikkelder."

„Oké, het zij je vergeven," Rosie trok een preuts mondje waardoor Iris in de lach schoot.

„Bovendien, om op eerste kerstdag terug te komen, zijn de zussen en Mathilde wel van de partij. Pa en ma blijven gezellig een paar weken en zij gaan de tweede dag naar Bruno. Alles is keurig en tot volle tevredenheid geregeld al zal ik jou en Pam wel missen. Is ons pilootje die dagen vrij?"

„Ja, maar niet met oud en nieuw."

„Komen jullie dan weer allemaal hier, en Pieta en Pam ook als ze zin hebben. Ik wil heel graag deze jaarwisseling met zijn allen vieren. Op de een of andere manier kan ik me van vorig jaar weinig herinneren."

„Idioot, ze hebben je toen om van je af te zijn maar een narcose-klap gegeven. Maar laten we er niet mee spotten het was al triest genoeg. Oud jaar bij jou vieren lijkt me een heel goed idee, maar ik ga maffen Roosje het is al laat. Moet ik je nog ergens mee helpen?"

„Ja, als je zo lief wilt zijn de vaatwasser te vullen, want veel bukken gaat me nog steeds moeilijk af."

„Ik doe het meteen. En je weet het, ik zeg het iedere avond, als er wat is schroom niet om me te bellen."

„Dat weet ik maar ik beperk het liever zoveel mogelijk. Daarom ben ik blij dat het bed nog beneden staat. Misschien richt ik de eet-kamer wel voorgoed tot mijn slaapkamer in. Trappen zijn absoluut uit den boze, ik mijd ze liever."

„Dat is helemaal geen slecht idee. De huiskamer is groot genoeg en de keuken ook. Meestal eten we toch daar dus wat heb je aan een eetkamer die je twee of drie keer per jaar gebruikt."

De vaatwasser was in een mum van tijd gevuld en Iris deed alle deuren op het nachtslot, en deed de lichten uit. „Welterusten Roos, tot morgen," riep ze naar achteren.

Een paar dagen later belde Peter onverwacht en vrij laat bij Iris aan.

Iris opende de deur en schrok toen ze Peter koud en verwaaid zag staan. „Er is toch niets ergs gebeurd hè?" vroeg ze bezorgd.

„Nee schat, er is niets, ik verlangde alleen heel erg naar jou," suste hij en sloot haar in zijn armen.

„Bevreemd voelde Iris hoe snel zijn hart klopte, er was wel wat aan de hand dat kon niet anders. Peter was gewoonlijk zo rustig en zeker van zichzelf.

„Wil je een glas wijn of liever wat warms?"

„Koffie graag. Hè, wat is het hier behaaglijk warm." Hij strekte zijn benen in de richting van de verwarming.

„Het lijkt op die keer toen jij ook onverwacht voor de deur stond. Jee, dat is alweer een jaar terug. Je bent nu net zo koud en nat als toen. Mag je van je tante blijven slapen?" vroeg ze toen ondeugend en kroop op zijn schoot.

„Ik mag blijven slapen alleen moet ik morgen heel vroeg op." Peter was niet alleen huisarts maar hij gaf ook les aan studenten, of lezingen in het Westeinde-ziekenhuis. Soms ook in het Bronovo maar dat kwam minder vaak voor.

„Wat ben je stil Peter, je geeft helemaal geen antwoord," ze keek omhoog naar zijn gezicht maar dat stond strak en afwezig. „Sorry, en ja het lijkt inderdaad op mijn andere bezoek een jaar terug. Als je het niet erg vindt wil ik vroeg naar bed. Ik wil lekker warm tegen je aanliggen."

Nu wist ze zeker dat er iets niet pluis was.

Eenmaal in bed en met het licht uit kreeg ze eindelijk te horen wat er was gebeurd. Iris lag met haar hoofd op zijn borst en voelde weer zijn onrustige hartslag toen hij zei: „Er is inderdaad iets gebeurd waardoor ik aardig van slag ben. Ik wilde een patiënt in het Westeinde bezoeken, een oudere man die aan zijn prostaat was geholpen, toen ik de schrik van mijn leven kreeg. In het bed bij het raam lag een vrouw, je wilt het niet geloven maar het was als twee druppels water Ankie. Mijn patiënt sliep gelukkig want ik had geen zinnig woord kunnen uitbrengen. Ik stond aan de grond genageld en bleef maar naar haar staren. Ze lag met haar gezicht afgewend en had mij niet in de gaten. Ik ben als een dief in de nacht weggeslopen en heb een uur doelloos rondgereden. Daarna heb ik de auto een stukje voorbij jouw huis gezet en ben gaan lopen. Zomaar lopen tot ik mezelf weer een beetje in de hand had. Ik durfde niet eerder bij je aan te bellen."

Dat heb ik weer dacht Iris verstoord, nu we eindelijk aan een toekomst samen kunnen denken komt de geest van Ankie spoken. Heel leuk Peter. Wat ze erop moest zeggen wist ze evenmin, maar hij scheen kennelijk geen antwoord te verwachten. Met wijd open ogen lag hij in het duister te staren tot ze hem voorzichtig aantikte.

„Ik kan me voorstellen dat je wat van streek bent, maar waarom ben je niet gewoon naar huis gegaan dan had je er met Pieta over kunnen praten. Ik kan er niets mee Peter en ik hoop dat je dat begrijpt."

„Natuurlijk liefje begrijp ik dat, maar ik wilde bij jou zijn en niet bij Pieta. Ik wilde jouw lijf en jouw warmte voelen."

„Wil je er verder nog over praten… kom anders achter me liggen en probeer te gaan slapen."

Ze draaide zich om en Peter sloeg zijn armen om haar lichaam, zijn wang rustte tegen haar hoofd.

Het is toch niet te geloven, dacht Iris met lichte ergernis, ligt de man van mijn dromen bij me in bed, want hij wil bij mij zijn, maar hij is met zijn gedachten bij zijn overleden vrouw. Iris, meid, zie maar dat je de slaap kan vatten.

De volgende morgen zaten ze al vroeg aan het ontbijt wat min of meer zwijgend werd genuttigd. Peter legde zijn mes en vork op het bord en keek naar Iris die met gefronste wenkbrauwen haar thee dronk, ze had beide handen om het kopje en hield het vlak voor haar gezicht. „Ik had beter niet kunnen komen hè? Ik heb jou hierdoor in verlegenheid gebracht. Het spijt me," klonk het moedeloos.

„Het hoeft je niet te spijten Peter, je hebt gedaan wat je gevoel je op dat moment ingaf." Ze zei maar niet, wat je hart je ingaf, want daar geloofde ze even niet in. „Zit er maar niet over in het komt wel goed."

Peter stond op en liep naar de gang om zijn jas te halen. „Ik bel je morgen is dat goed?"

„Prima Peter en wees voorzichtig in het verkeer. Probeer je hoofd erbij te houden." Ze gaf hem een kus en liep mee naar de deur. Nog een laatste zwaai en weg was hij.

Resoluut zette Iris het gebeuren uit haar hoofd en reed naar haar werk. Het zou een drukke dag worden en daar dacht ze op het moment liever aan.

Onder het eten 's avonds begon ze er tegen Rosie over. Die had trouwens allang door dat ze met een probleem zat.

„Peter kwam gisteravond tegen tienen naar me toe. Hij zag er vreemd verwilderd uit en ik schrok me dood natuurlijk. Wat er was gebeurd vertelde hij pas toen we in bed lagen en het licht uit was." Iris deed letterlijk verslag van het gebeuren. „Ik voelde me zo raar joh, het is echt niet te geloven. Heb jij zo'n dé-jà vu ook wel eens gehad, het lijkt me bar griezelig."

„Ja, dat gebeurt iedereen wel die een geliefde heeft verloren. Maar niet op zo'n extreme manier als bij Peter. Iris, waarom ben je jaloers op een dode?" Rosie keek met een zachte blik naar haar zus die verward haar hoofd schudde.

„Ik ben niet jaloers op Ankie, maar het is inmiddels vier jaar geleden. Het wordt dan toch langzamerhand tijd dat hij zich op de toekomst richt en niet op het verleden. Ik heb wel meer het gevoel gehad dat hij er nog niet overheen is. Dat is ook een van de redenen dat ik nog niet met hem wil samenwonen. Als ik in zijn huis ben voel ik de adem van Ankie als het ware in mijn nek."

„Je overdrijft Iris. Als ik je zo hoor zit het tussen jouw oren en niet tussen die van Peter. Bovendien heeft hij niet met Ankie in dit huis gewoond. Weet je, ik vind het zo'n bizar gegeven dat als de man of vrouw een tweede relatie aangaat, zeker in verband met het overlijden van diens levenspartner, dat er altijd zulke dwaze dingen worden gevraagd. Bijvoorbeeld; hou je meer van mij dan van haar, ben ik beter in bed, ook zo'n idiote vraag. Vind je mij mooier, en ga zo maar door. Waarom in hemelsnaam? Laat de persoon die overleden is toch zijn of haar plekje in iemands hart mogen invullen. Hoe kun je die jaren, zeker als ze een goed huwelijk hebben gehad, wegvagen alsof het nooit heeft bestaan. Foto's moeten weg, dierbare spullen, die de ander wellicht ook mooi vindt, moeten in een doos op zolder of liefst naar de rommelmarkt. Ik kan me daar zo kwaad over maken. Natuurlijk moet je niet het gevoel krijgen tweede keus te zijn, of dat zo'n eerste vrouw op haar voetstuk blijft staan in de ogen van die man. Maar er zijn grenzen voor allebei en die moet je niet overschrijden."

„Hallo zeg, wat ben jij ineens fel! Ik heb er geen ervaring mee en ik vond het gewoon vreemd, klaar uit. Als we eenmaal samen een ander huis hebben gekocht zal ik voor Niels echt wel een foto van zijn moeder neerzetten of iets van haar spulletjes. Maar je kunt niet van mij verlangen dat ik leef tussen de spullen van een ander. Dat zou bij een scheiding precies hetzelfde zijn. Gelukkig heb ik niets in mijn huis dat van Stef was dus dat is alweer een pluspunt."

„Heb je wel eens een foto van haar gezien?" vroeg Rosie weer op normale toon.

„Ja, er staat een grote foto op een bijzettafeltje en er staan altijd verse bloemen bij."

„Gun Ankie die plaats Iris. Denk je niet dat ze graag haar zoontje had zien opgroeien, en van haar gezin had willen genieten? Jij hebt die kans lieverd en houd hem met beide handen vast. Wees niet boos op Peter maar probeer begrip te hebben voor zijn gevoelens. Hij houdt van jou, anders was hij niet direct naar jou toegekomen. Dat zegt toch wel iets over de gevoelens die hij voor je koestert. Het hoort bij het volwassen worden liefje en het maakt niet uit in welke periode van je leven dat plaatsvindt."

„Oké, het kwartje valt, of is het nu vijftig eurocent geworden? Maar ik blijf het best moeilijk vinden ermee om te gaan. Maar nu een vrolijker onderwerp."

„Prima laten we even op de vakantie vooruitlopen. Ik zie die busreis nog steeds niet erg zitten maar ik heb het lef niet de boel ongedaan te maken."

„Het valt misschien wel mee joh. Kun je je voorstellen hoe de stem van die twee door de bus zal schallen. Ze zullen tijdens het praten veel mensen uit hun slaap houden ben ik bang."

„Ja," lachte Rosie, „en wat ik van dat soort reizen heb gehoord gaan er altijd wel mensen mee die het nodig vinden in de bus te zingen alsof het een schoolreisje is."

„Hoor dan… we gaan nog niet naar huis… en datte we toffe jongens zijn… maar onder de bank kruipen lukt me niet meer hoor!"

„Nee, en wat zou je van mij denken, ik ben al blij als ik zonder problemen in en uit de bus kan komen." Rosie ging er eens goed voor zitten want dit werd dikke pret.

„Let op Roos, ik ben de chauffeur. Goeiemorregen dames en here, ik bin jullie chauffeur en mijn naam is Piet. Zeg maar gewoon Piet want anders luiser ik niet. Zwak gelach… verder, ik zei goeimorge… mensen brullen terug om van hem af te zijn. En dan komt de uitleg over het gebruik van bijvoorbeeld het toilet. Effe een huishoudelijke mededeling over het telet. Gebruik het alleen voor een pipi en niet voor een poepoe. Mannen, sitten op de bril, want de bus schudt en je weet wel wat er gebeure gaat, juist je sproei alle kante op. Dus sitte mannen." Rosie en Iris gierden het uit en zagen het al gebeuren.

„Pepieren en afval in de plastic sakkies en die hange aan de stoel."

„Joh, hikte Rosie, „zo erg zal het toch niet zijn mag ik hopen."

„Nee, maar wel leuk hè? We fantaseren nog even door. Iemand is heel vervelend, zeurt aan een stuk door dat er nergens iets van deugt... de bus niet, het eten niet, en noem maar op. Hoe denk je dat Truus en Marie daarop zullen reageren. Truus staat in haar volle lengte en breedte op en legt lieflijk een van haar zachte boot-werkershandjes op diens schouder en geeft even een professioneel kneepje in de holte van het sleutelbeen... geinig toch?"

„Ja en wanneer die persoon nijdig wordt en Truus beschuldigt van mishandeling komt Marie te voorschijn en buldert of hij nog meer te reclameren heeft, ze wil dan een hand op zijn andere schouder leggen maar de persoon smeekt om genade."

Er was geen houden meer aan en de tranen liepen over hun wangen van het lachen.

„Gut Rosie dat moeten we meer doen, maar dan als de zussen er ook bij zijn."

HOOFDSTUK 7

Kerst en oud en nieuw waren voorbij en het was voor iedereen zonder problemen verlopen. Rosie vermeed uit voorzorg alles wat met een trap te maken had tot grote hilariteit van de anderen. Ze was de tweede dag met haar eigen wagen naar Bart toegegaan want het was droog, licht vriezend weer. Ze genoot met volle teugen van haar vrijheid, al hield het thuisfront angstvallig de telefoon in de gaten, je wist het met Rosie maar nooit.

Ook Iris had fijne dagen gehad, de les van Rosie in haar achterhoofd houdend. Peter was heel lief voor haar geweest en had haar samen met Niels tweede kerstdag ontbijt op bed gebracht. Pieta was koffie komen drinken en had bij hen gegeten maar was verder haar eigen gang gegaan. Zo kon Iris de honneurs waarnemen zonder het gevoel te hebben een ander in de wielen te rijden.

En zo was het alweer februari en de koffers voor de vakantie waren gepakt. Rosie en Iris hadden niets meer te doen en zaten verveeld naar de tv te kijken. „Zullen we weer iets geks bedenken net als die vakantieklucht," stelde Rosie voor.

„Prima, maar wat is het onderwerp deze keer."

„Heb jij Peters ouders al eens ontmoet?"

„Nee, ik heb nog niet het genoegen gehad."

„Vreemd, jullie gaan al een jaar met elkaar om."

„Ja lieve Roos, zullen we hen dan maar als onderwerp nemen?"

„Leuk," gniffelde Rosie en ging languit op de bank liggen met een stapel kussens in haar rug. „Mag ik de moeder van Peter spelen?"

„Mij best. Daar gaan we dan. Goedemorgen Mevrouw Kramer leuk u eindelijk te ontmoeten." Iris speelde het lieflijk overdreven en Rosie had zich een kakstem aangemeten.

„Ja, beste kind, ga zitten," slap handje gevend, „zodra mijn man arriveert zal ik voor een kopje koffie zorgen. Maar vertel eerst even wat over jezelf."

„Mijn naam is Iris, maar dat wist u natuurlijk al, en ik ben schoonheidsspecialiste."

„Affreus lieve kind, hoe kun je dag in en dag uit bezig zijn met al die vieze gezichten, ik moet er niet aan denken!" nuffig handje in de lucht.

„Maar ze hebben over het algemeen hun gezicht van te voren wel gewassen mevrouw." klinkt trouwhartig.

„Ja ja dat zal ongetwijfeld, maar ik hoor mijn man binnenkomen. Ik laat je even alleen."

„Ach, misschien is het wel een schat van een mens en zijn wij nu heel gemeen aan het doen," grinnikte Iris, „bovendien zijn ze gescheiden dus klopt het scenario niet."

„O ja, dat was ik even vergeten." Maar voor ze verder konden gaan met hun onzinnig gedoe ging de telefoon. Hun ouders wilden hen nog gedag zeggen en dat duurde wel even. Daarna belde Bruno, en Bart eindigde de rij maar toen was het onderhand tijd om weg te gaan. Peter claxonneerde en Iris stond op om de deur voor hem open te doen.

„Zo vakantiegangers hebben jullie er zin in?"

„Ja," riepen ze tegelijk op langgerekte toon, „wij hebben er echt zin in hoor!" Hun stemmen klonken zo raar dat Peter hen een voor een verbaasd aankeek. Hij tikte op zijn voorhoofd: „Misschien je pillen niet ingenomen?"

Dat was het sein om hem baldadig om de nek te vallen. „Stelletje pubers," schold hij gemoedelijk. Het was niet te geloven dat Rosie zo was veranderd. Het leek wel of ze tien jaar jonger was geworden. Hij kon er alleen maar blij om zijn want hun leven was het laatste half jaar een stuk vrolijker geworden.

De zussen en Mathilde waren er al, het wachten was op Pam die door haar ouders gebracht zou worden. De bus kwam op tijd en ook Pam was inmiddels gearriveerd. Even later zagen ze Bruno met een noodvaart aankomen rijden. Op het nippertje wilde hij toch graag de uittocht van de vrouwen zien en hij lachte zich slap toen hij ze braaf in rijen van twee in de bus zag zitten. Het gehannes met de koffers die in de laadruimte gezet moesten worden namen de heren maar voor hun rekening. Vooraan bij de bus stond een vrij jonge man die de namen van de passagiers afriep. Gelukkig hoefden ze niet te dringen want ieder had zijn eigen stoelnummer gekregen. Drie banken halverwege de bus waren voor hen gereserveerd. In het midden van de bus was ook een uitgang maar die was nu dicht. Rosie had de plaats tegenover het trapje gekregen zodat ze als eerste de bus uit kon. Tenminste dat was de bedoeling.

Pam zat naast Marie, Iris naast Truus en Mathilde naast Rosie. Ze hadden het beter gevonden de zussen niet naast elkaar te zetten omdat ze dan het gevaar liepen niet meer uit hun stoel te kunnen komen. „Poeh," pufte Truus, „bij onze laatste busreis waren we zeker twintig kilo lichter Marie, geloof je ook niet?"

„Ik geloof het niet alleen ik weet het wel zeker," grijnsde die.

De bus liep aardig vol en iedereen was bezig de handbagage met onder andere het eten en drinken voor de nacht een plaatsje te geven onder de stoelen. Ook Truus en Marie waren druk doende. „Wat hebben jullie allemaal meegenomen?" vroeg Rosie verbaasd, „ik heb alleen twee broodjes, een mandarijn en een flesje water bij me, en Iris hetzelfde."

„Ja, nou wij hebben wat meer in onze tas zitten. Ik krijg altijd trek zodra ik in de bus zit, en dan nog, de nacht is lang kinderen."

Eindelijk vertrok de bus en zwaaiden de vrouwen uitgelaten naar hun familie die nog steeds een vette grijns op hun gezicht vertoonde.

„Ik wil niet weten wat ze denken en tegen elkaar zeggen," vertrouwde Iris de anderen toe, „als ik die grijns op hun gezichten zie weet ik eigenlijk al genoeg."

Ze probeerden een makkelijke zit te krijgen maar voor Rosie was dat wat moeilijker. Ze zat aan het gangpad en probeerde haar benen een beetje te strekken. Gelukkig had ze genoeg pijnstillers bij zich en Marie zou haar iedere dag masseren had ze beloofd. Rosie legde haar hoofd tegen de hoofdsteun en sloot even haar ogen. Het was grappig dat er op het moment weinig animo was om met elkaar te praten, maar dat zou straks ongetwijfeld wel anders worden.

Gelukkig waren er niet zoveel files zodat de bus in een behoorlijk tempo kon rijden en ze na een paar uur Nederland achter zich lie-

167

ten. Toen was ook de eerste sanitaire stop een feit. Rosie kwam moeizaam overeind en moest eerst haar benen strekken voor ze een pas kon doen. Meteen verdrongen zich de mensen om als eerste de bus uit te gaan want de twintig minuten die ze hadden gekregen waren zo om.

„Wacht maar totdat het haastige volk eruit is," gromde Truus verontwaardigd, „straks doen we dat echt anders." Ze liet zich het trapje afzakken en hielp Rosie toen ook de bus uit. „De afstand tussen de treden is veel te groot en dat is niet alleen voor jou lastig Roos," zei Marie die zich aan een stang beet hield en de laatste tree nam. „Allemachtig het valt echt niet mee. We hadden beter voor in de bus een plaats kunnen vragen."

„Ja, daar is het nu te laat voor. Ze hebben ook niet eens een opstapje bij zich, de laatste stap nekt je echt." Mathilde schoot toen hartelijk in de lach. „We zijn nu echte buspassagiers geworden, we mopperen nu al. Maar laten we opschieten anders is de tijd om voor we koffie hebben gehad."

„Laten we eerst naar het toilet gaan," opperde Marie, „de koffie kunnen we eventueel de bus mee innemen. Weten jullie hoe het werkt hier?"

„Nee, lieve Marie vertel!" Iris gaf haar een por in haar rug. „Ik zie dat je er een muntstuk van vijftig euro cent in moet doen en dat dan het hekje of wat het ook is opengaat."

„Ja, maar opzij van die automaat komt er een ticket uit van hetzelfde bedrag en die kun je inwisselen aan de kassa als je je koffie betaalt. Het is dus eigenlijk gratis, en je besteedt het weer in dezelfde zaak. Je kan ze ook opsparen natuurlijk dan heb je een keer de koffie gratis."

„Interessant," mompelde Rosie, „schiet liever op want ik moet echt nodig." Ze waren het er later wel over eens dat het een luxe was zo schoon en hygiënisch het allemaal ging. Je hoefde zo goed als niets aan te raken want alles ging via een sensor waar je je hand voor moest houden.

Met de koffiebeker waar een deksel opzat liepen ze terug naar de bus. Iris hield de beker van Rosie vast toen ze zich de bus in hees, en Truus was naar de chauffeur gelopen om te vragen of hij een opstapje of een krukje aan boord had. Dat bleek het geval en dat maakte de volgende stops een stuk gemakkelijker.

„Had die man dat niet gelijk kunnen doen," blies Truus verontwaardigd, „er zijn meer mensen die moeite hebben met die hoge opstap."

„Kom nou maar zitten," Marie trok haar aan haar arm, „je koffie wordt koud als je er zo boos in blaast." Ze diepte gelijk haar tas op en haalde een doosje tevoorschijn met plakken rozijnencake. Ze liet het doosje naar achter gaan en een goedkeurend gemompel was de beloning. „Wedden dat ze alles mee opeten," Marie draaide zich om naar haar zus, „hoe smaakt'ie?"

„Heerlijk," klonk het in koor want het was niet mogelijk Marie niet te horen zelfs als ze fluisterde.

Na twaalven werd het licht in de bus gedoofd, en had de wat oudere chauffeur het stuur aan zijn collega overgedragen. Ze hielden zich keurig aan de rijtijden en de verplichte rustpauzes, dus de stops.

„Wil jij een poosje bij het raam zitten?" vroeg Mathilde aan Rosie.

„Nee waarom, je ziet toch niets buiten."

„Dat snap ik, maar dan kun je met je kussentje tegen het raam misschien een beetje slapen."

„Bedankt, lief van je, maar het gaat zo ook wel en bovendien kan ik hier mijn benen wat meer ruimte geven."

Het werd stil in de bus, op hier en daar wat gesnurk na.

Na nog twee stops te hebben gehad gloorde de ochtend boven de Brennerpas. Iedereen was meteen klaarwakker om de zon oranjekleurend boven de besneeuwde toppen van de bergen te zien opkomen. Er brak meteen een gekraak los van zakjes, tassen, flesjes werden opengedraaid, er werd weer volop gegeten en gedronken.

De zes hadden er nog even geen behoefte aan en genoten van het prachtige vergezicht. Pas toen ze de Brennerpas en tolwegen waren gepasseerd begonnen ook hun magen te knorren. De jonge chauffeur, die Pascal heette kwam vragen wie er koffie of thee wilde. De drankjes in de bus waren niet duur in tegenstelling tot de zaakjes bij de benzinestations. De meeste mensen kozen daarom voor koffie in de bus en dat was wel zo gezellig.

„Zeg Rosie en Iris hoe zit het met jullie fourage, zijn jullie er al doorheen?"

„Ja," klonk het tweestemmig, „we kopen bij de volgende stop wel wat."

„Ben je betoeterd", schalde Truus, „hier pak aan!" ze duwde twee in aluminium verpakte broodjes eerst naar Rosie en toen naar Iris. „We wisten wel dat het zo zou gaan en hebben daar uiteraard rekening mee gehouden. Jullie zijn echt een stel verwende vliegtuigpassagiers."

„Bedankt lieve Truus, we zijn je eeuwig dankbaar." Iris wierp haar een kushandje toe.

Aan het begin van de middag bereikten ze het stadje waar ze hun twee overnachtingen zouden hebben in hotel Albergo Giorgo. Enigszins gebroken stapte iedereen uit en haastte zich naar de balie voor hun kamersleutel. Gelukkig lagen die ook op naam klaar zodat men niet van de willekeur van binnenkomst afhing. Vanwege Rosie hadden ze kamers beneden gekregen.

Ze liepen met hun bagagetrollies naar hun kamer. Rosie deed de deur open en liet zich meteen uitgeput op het bed vallen. Mathilde zette de koffers tegen de muur en volgde het voorbeeld van haar schoonzus. De zussen hadden de kamer ernaast en daar weer naast was de kamer van Iris en Pam. De deuren gingen dicht. „Best een aardige kamer," zei Pam tegen haar vriendin, „en de badkamer ziet er ook redelijk goed uit. We hebben zelfs een balkon dat uitkijkt op een bloeiende mimosaboom."

„Leuk," geeuwend liet Iris zich achterover op het bed vallen. „Pakken we wat uit of halen we gewoon wat we nodig hebben uit de koffer?"

„Dat lijkt mij het meest handig, alleen wat echt kreukt kun je beter uithangen."

„Dat is dan toch al gekreukt," was de logische reactie van Iris, „laat dus maar zitten."

170

Na een kwartier kwam Pam overeind en haalde haar vingers door haar haren. „Gaan we nog wat doen of blijven we hier tot we gaan eten?"

„Nee, laten we maar even een frisse neus gaan halen en onze benen wat beweging geven. Ik informeer wel even wat de anderen willen."

„Rosie en Mathilde blijven op hun kamer. En Marie wil eerst even de rug en benen van Rosie doen daarna gaan ze met ons mee."

„Wat een wereldplek," zei Truus toen ze richting de rotsachtige bergen liepen. „Arco, wie heeft daar ooit van gehoord?"

„Waarschijnlijk niemand en dat verbaast me niet echt." Ze liepen een stukje omhoog aan de kant van een wat kale berg en keken naar de wijnstokken aan de andere kant. „Wijn en olijven, en niet te vergeten de citroenen en sinaasappelboomgaarden. Kijk eens wat een vreemde vruchten hier aan de boom hangen. Het lijkt op een abrikoos maar is daar te donker voor." Pam kneep even voorzichtig in een laaghangende vrucht. „Het voelt aan als een abrikoos en heeft de inhoud van een tomaat, kijk er liggen er een paar geplet op de grond."

Ze liepen het straatje omhoog waar aan beide kanten hier en daar een huis stond dat er redelijk goed onderhouden uitzag, de rest was verveloos en gehavend. „Nou, hier word ik niet bepaald vrolijk van," Iris keek met verwondering naar een huis waarvan een deel zonder ramen was terwijl in het overige deel mensen woonden.

„Daar heb je gelijk in, Arco aan het Gardameer maar waar is in hemelsnaam het Gardameer?" riep Marie vertwijfeld.

„Misschien is het Gardaminder… Flauw hè," zei Pam, „maar laten we maar terug naar het hotel gaan en het stadje of dorpje, wat het ook is, morgenochtend maar bekijken. Ik heb een weergaloze trek in koffie." Daar waren de anderen het roerend mee eens en draaiden zich onmiddellijk om en liepen weer de weg af naar beneden. „Toch valt het me op dat er langs de armoedigste huizen bloemen en klimop groeit. Dat maakt het wel een stuk vriendelijker." Pam nam wat foto's van het schilderachtige straatje.

„Hé, kijk nou, een mens!" Ze schoten in de lach want inderdaad ze waren nog geen mens tegen gekomen.

Een oudere man was in zijn tuin bezig die tegen de helling van de berg aanlag.

„Buena sera... Hollanda," schalde Truus naar het mannetje. Pam keek of de man hoorapparaten had maar dat bleek niet zo te zijn. Het viel haar ook mee dat de bergen het geluid van Truus niet weerkaatsten. In een sneeuwgebied zouden de zussen best voor een lawine kunnen zorgen. Foei Pam, riep ze zichzelf tot de orde, het zijn schatten, luidruchtige schatten dat wel. „Aha, Rotterdam, Amsterdam," riep hij enthousiast terug en kwam naar het hoge hek dat de tuin afschermde. Hij bleek een tourfanaat te zijn want de namen Kneterman en Soetemelk kwamen goed verstaanbaar zijn mond uitrollen. Er ontstond spontaan een handen-en-voeten gesprek waarin ze elkaar uitstekend begrepen. Truus zei hem aan het eind weer gedag in het Italiaans en ze had hem nog even 'tot ziens' geleerd. Het was een vrolijke onderbreking, en achteraf bleek hij de enige echt vriendelijke Italiaan te zijn die ze tegenkwamen in de vakantie. Zelfs al hielpen ze je ergens mee bleef hun gezicht op zeven dagen onweer staan, zoals Marie het verwoordde. Rosie en Mathilde zaten in de lounge aan de koffie en het kwartet schoof gauw een stoel bij.

Om zeven uur was het diner en daarna besloten ze nog even beneden te blijven zitten om een spelletje te kaarten. Iris had twee doosjes zien liggen in een boekenkast waar ze koffiedronken. Maar tegen tienen besloten ze naar hun kamer te gaan. Niemand had natuurlijk fatsoenlijk kunnen slapen in de bus en ze waren wel toe aan een behoorlijke nachtrust.

Marie had nog even de rug van Rosie gemasseerd en wat crème op de plek van de operatie gesmeerd. Het bleef een zwakke plek en Rosie voelde daar de vermoeidheid het eerst. Met een tevreden zucht trok ze het dek omhoog en wenste Mathilde welterusten. De zussen waren ernaast aan het kibbelen wie het eerst onder de douche mocht want ze vielen haast om van de slaap. „Ja kind samen gaat niet dus Truusje gaat gewoon eerst."

Mopperend dat die altijd haar zin moest hebben sloeg Marie vast het dek een stuk terug en bleef gapend op de rand van haar bed zitten.

In kamer drie was het muisstil. Op de grond lag de halve inhoud van hun koffer maar ze waren te moe geweest het weer op te ruimen.

Na het ontbijt de volgende dag liepen ze met zijn zessen op hun gemak het stadje door. Het was op zich niet onaardig maar buiten een fietsenwinkel was er niets te beleven. In de tuin van een lieflijk kerkje bleven ze op een bankje een poosje zitten. „Het mag dan een plaats van niets zijn maar ik geniet toch wel van de rust die er heerst.

De drukte van de stad mogen ze van mij wel even houden," Mathilde sloeg haar armen over elkaar en keek naar een boom wat volgens haar een olijfboom was. De anderen vonden het prima en maakten zich er niet druk om wat voor boom het was, ze waren heerlijk ontspannen en dat was veel belangrijker.

Om twaalf uur stegen ze de bus weer in die hen naar de haven bracht in Riva voor een boottocht naar de citroenenstad Limone aan de andere kant van het Gardameer. Riva was een aardige stad en als ze terugkwamen konden ze daar nog een poosje vertoeven voor de bus hen weer naar Arco bracht.

Het was grijs en nevelig weer en de meeste tijd werden de bergen aan het zicht onttrokken. Toch had dat evengoed zijn bekoring en Iris vond het zelfs mysterieus. Rosie genoot van de wind in haar gezicht en van het vrije gevoel dat ze nog steeds als heel bijzonder ervoer.

„Ik dacht dat jij niet van al dat water en gewiebel hield," zei Mathilde bestraffend. „Je vond een Rijnreis maar niets."

„Nee joh, al dat muffe gedoe op zo'n boot."

„Dat valt best mee, ik heb het al een paar keer gedaan en ik vond het zalig."

„Ben je op je eksterogen getrapt schone zus, sorry, de volgende keer maken we een Rijnreis. Vind je me nu weer aardig?"

„Je gaat al net zo praten als de zussen," mopperde Mathilde nog even.

„En wat mankeert er aan ons praten?" veerde Truus verontwaardigd op.

„Niets, maar ik houd niet van imitaties."

„Allemaal je snater dicht," viel Marie ertussendoor. „Truus en ik willen wat met jullie bespreken en dat kunnen we hier mooi doen, lekker wiebelend op het meer. Truus kom maar op met je voorstel."

„Tja, wij hadden het erover hoe vreselijk leuk dit is zo met zijn zessen op pad. En we vroegen ons af of het niet leuk zou zijn dit ieder jaar een keer te doen. Zo'n vrouwenclubje heeft toch wel iets vinden wij. We kunnen dan ieder jaar iemand anders een bestemming laten kiezen."

Truus kreeg spontaan bijval van het kwartet. Ze vonden het een leuk idee en iedereen moest toch wel één week per jaar vrij kunnen maken. „Voorstel aangenomen," en zes handen gingen omhoog.

Onderhand was de boot op de plaats van bestemming en de eerste gingen al van boord. De huizen lagen gezellig tegen de berg aangevleid en het was een schilderachtig gezicht met het van boord gaan. Ze kregen twee uur om te verpozen en dat was achteraf lang genoeg. Men was bezig alles in orde te brengen voor het komende toeristenseizoen maar nu waren de meeste winkeltjes nog dicht. Ze klommen in de straatjes naar boven, rekening houdend met Rosie die natuurlijk een langzamer tempo had. De winkeltjes die open waren brachten ze een bezoek. Een porselein- en glaszaakje was heel leuk en rondsnuffelend vonden ze wat aardige cadeautjes voor het thuisfront. „Denk erom jongens dit is pas de eerst dag hè?" maande Truus hen tot matigheid.

Pam die met haar digitale camera het foto's nemen op zich had genomen genoot van de onverwachte steegjes en straatjes waar ook weer de klimop, fruitbomen en bakken met fleurige bloemen zorgden voor een mooi plaatje. Ze zou het voor iedereen later op een cd-rom zetten zodat ze nog lang konden nagenieten.

Langs de slingerpaden beneden aan de rotsen stonden de citroen- en sinaasappelbomen en je kreeg echt lust ze te plukken. Je zag overal kleine winkeltjes met flesjes citroenlikeur in alle soorten en maten. Weer beneden aangekomen streken ze neer op een terras aan het water en bestelden een cappuccino. De boot waar ze mee teruggingen lag achter hen rustig te dobberen. Ook al was het vaak somber weer het was absoluut niet koud. Een betere temperatuur dan in Nederland in ieder geval. Ze hadden het bezoek aan Limone best leuk gevonden al hadden ze er natuurlijk maar een klein stukje van gezien. Het was tijd de boot op te gaan, nu was het op het water nog grijzer dan op de heenweg. Soms kwamen de toppen van de bergen er even bovenuit kijken dan weer daalde een nevel ertussendoor en waren ze wat beter zichtbaar. Al met al een wisselend beeld.

In Riva gingen ze weer van boord. Het was zo te zien een welvarende stad die natuurlijk in het zomerseizoen veel vakantiegangers te verwerken kreeg. Grote en luxe winkels en vlak bij de haven een prachtig plein wat normaal gesproken één groot terras was. Ze kochten wat kaarten en schreven die aan een tafeltje op een terrasje dat al open was en waar de toeristen een prachtig zicht hadden op de omgeving en het Gardameer.

Op de afgesproken tijd was de bus weer vol en kon hij vertrekken. „Niet echt de werkelijkheid uit onze klucht hè?" zei Iris ondeugend tegen haar zus.

„Nee gelukkig niet. Het is een aardige groep mensen en de chauffeurs hebben het niet over het telet en dergelijke," grinnikte Rosie.

Op hun kamer aangekomen namen ze even een rustpauze voor ze naar beneden gingen om te eten. Morgen zouden ze naar de Amalfikust rijden, ook weer een aardige rit van zo'n achthonderd kilometer. Ze hadden nu een kleine twaalfhonderd gereden.

Na het eten liepen ze nog een straatje om en gingen vroeg naar boven om hun koffer weer in te ruimen. „Jammer dat ze niet zoals in Engeland een waterkokertje en koffie op de kamer zetten. Het is altijd gezellig om nog even bij elkaar te zitten op die manier. Je moet voor de koffie altijd naar beneden," zei Rosie spijtig.

De anderen waren het met haar eens en Truus stelde voor om

voortaan zelf een kleine waterkoker mee te nemen. „Het mag eigenlijk niet maar dat is dan pech voor ze," zei ze met een grote grijns.

„Hoe vind jij het tot op heden?" vroeg Iris aan Pam. Ze lagen al in bed en wilden nog even wat napraten.

„Ik vind het hartstikke gezellig. Ik ben nog nooit met een groepje vrouwen op stap geweest, en ook nog nooit met een bus meegegaan maar het valt me alles mee."

„En jij stelde nog wel de busreis voor…!"

„Ja dat weet ik, maar je hoort er natuurlijk vaak mensen over praten, vooral over die pendelbussen die op Spanje rijden. Dus zodoende! En hoe vind jij het?"

„Ik vind het prima, en het plan van Truus om eens per jaar er met zijn zessen opuit te trekken vind ik ook erg leuk. Weet je, de zussen hebben harde stemmen en praten anders dan wij maar ze zijn nooit grof of onfatsoenlijk in hun taalgebruik. En verder hebben ze een hart van goud. Ik vind het echt een aanwinst."

„Mm, vind ik ook maar ik slaap haast!"

Iedereen moest vroeg uit de veren, douchen en aankleden en om zeven uur ontbijten. Niemand zag er erg florissant uit maar dat kon ook niet anders. De koffers waren al naar de bus gebracht en om half acht vertrokken ze.

Het weer was erg wisselend maar toen tegen lunchtijd de bus een langere stop hield was het goed weer en scheen de zon.

De chauffeurs hadden proviand aan boord, bestaande uit voedsel zeer rijk aan cholesterol. In een grote elektrische ketel werden blikken soep tot het kookpunt gebracht. Het was een komisch gegeven, hup blik open en in een plastic schaaltje gekiept, maar het was heel smakelijk en het vond allemaal gretig aftrek.

„Niet te geloven," mompelde Rosie tussen twee happen door, „zit ik op een stenen rand met een bak soep en een broodje knakworst, het is echt te bizar voor woorden. En het ongelofelijke is dat ik het nog leuk vind ook."

Marie wilde antwoord geven maar morste soep op haar trui. „Tja," zei haar lieve zus, „moet je maar eerst goed je mond leegeten dat krijg je ervan." Maar ze kwam direct met een doekje met water om het ergste eraf te halen.

Na een half uur reed de bus weer verder en was de oudste chauffeur Koen met de koffie bezig. Het werd steeds gezelliger in de bus en er was onderling ook wat meer contact.

Moe maar toch wel voldaan arriveerden ze tegen de avond in Sorrento voor het hotel Capri. De rit was erg mooi geweest tot aan het laatste uur. Ze reden door armoedige kustplaatsjes waar het spitsuur voor de raarste capriolen zorgde. In Parijs kon het een chaos zijn maar de Italianen met hun bizar rijgedrag wonnen het toch echt. Ze stonden kris kras door elkaar en wachtten tot er één was die dan maar voor- of achteruit ging. Dan vlogen er ook nog luid claxonnerend de scooters tussendoor en was het feest compleet. In de bus klonk af en toe een bange kreet als er zich weer een auto tussen een muur en de bus in wrong. Maar uiteindelijk had de bus zich kunnen losmaken van het gewoel en klonk er een zucht van verlichting.

Hotel Capri zag er goed uit. Het was een vrij klein hotel. De kamers waren gezellig met overal dezelfde houten omlijsting om de bedden en spiegel heen en waar een crèmekleurige bloemenrand in verwerkt was. Ook de deuren op de gang waren zo. Alleen, ze kregen het licht niet aan. Er zat een kleine schakelkast naast de deur in het halletje, maar daaraan prutsen hielp niet. Zodra de deur dichtging ging ook het licht uit. Truus stevende op een andere passagier af die gelukkig wist hoe het systeem werkte. Je moest de sleutelpas direct in een gleufje doen als je binnenkwam en dan werkte alles perfect. Je moet het maar weten.

Ze hadden kamers op de eerste etage gekregen. Er was gelukkig een lift, helaas wat klein, en het was even dringen om er ook nog een keer gebruik van te kunnen maken. Maar met Truus en Marie als gezelschap ging dat opeens erg vlot. Ze posteerden samen voor de lift en zie er dan maar eens langs te komen. Pam en Iris hadden een kamer op de hoek en keken zowel de straat in als op de citroenbomen. Ze waren met de bus langs het verlichte centrum gekomen en hun kamer keek daar in de verte op uit. Pam had vroeger een boek van haar broer gelezen en dat heette „Meeuwen boven Sorrento", en gek genoeg was ze de titel nooit vergeten. Alleen doopte ze het die week om in regen boven Sorrento, want het kon op de dag prachtig weer zijn geweest, als ze terug in Sorrento kwamen regende het. Alleen de eerste avond niet. De koffers waren uitgepakt en het was tijd voor het diner. Een drie-sterren hotel, dat was best mogelijk maar dan toch niet wat het eten betrof. Bovendien was de man die bediende, goed, hij moest het meestal alleen doen, een grote chagrijn zoals zovele die ze zouden ontmoeten. Binnen een half uur was men klaar en rukte hij bijna de borden onder je neus vandaan. Met opgetrokken wenkbrauwen sloeg het zestal de man gade. Ze kwamen ook tot de conclusie dat omkleden voor het diner, nou ja diner, niet nodig was want je stond zo weer op de gang. Maar ja, je kon niet alles hebben en honger hadden ze toch niet gehad. Bovendien werkte het aardig op hun lachspieren. Dan de omgeving maar een beetje verkennen.

Een klein stukje verderop was een plaza waar een pinautomaat was, postbussen en een bank. Verder was het een winkelstraat die naar het centrum leidde. In de straat stonden palmbomen omringd door een massa veel-kleurige cyclamen en dat was overal zo, het was een feestelijk en fleurig gezicht. Ook de verlichting in het centrum was heel feestelijk en daar waren ook de restaurants en de wat duurdere hotels. Rijen scooters stonden er geparkeerd. Het zestal besloot een ijsje te gaan eten want uiteindelijk was Italiaans ijs toch het lekkerste.

Bij elven slenterden ze terug naar het hotel en bij Rosie op de kamer werd nog wat nagepraat.

„Morgen een excursie naar het eiland Capri," zei Iris, „ik ben benieuwd of het beantwoordt aan hetgeen je er altijd over leest. Aan de ene kant is het jammer dat het nog geen zomerseizoen is want als bloemeneiland zal het er nog wel niet zo uitzien. Maar aan de andere kant is het ook niet zo loeidruk."

„Vergeet je wandelstok niet mee te nemen Roos want ik weet

niet of je veel moet klimmen!" gaf Marie haar een goedbedoelde raad.

„Er gaan speciale busjes op en neer," wist Pam te vertellen, „dus dat klimmen zal dan wel meevallen."

„Neem de stok toch maar mee." En daar was niets tegenin te brengen.

Pam en Iris hadden nog geen slaap en hadden de ramen opengegooid. Met hun ellebogen op het vensterbankje keken ze naar de bedrijvigheid op straat. „We hebben best een leuke kamer vind je niet? Maar wat mis ik mijn bakkie bruin vocht," lispelde Iris.

„Goeie genade, nog een week met de zussen en iedereen praat zoals zij."

De volgende morgen haalde een gids hen bij het hotel op en liet hen eerst een stukje van Sorrento zien want de boot was er nog niet. En ook nu weer konden ze met een busje naar beneden naar de haven. De overtocht naar Capri was heerlijk, tenminste voor een aantal mensen. Het water was onstuimig en de boot helde flink over naar beide kanten. De bergen waren weer in nevels gehuld maar nu waren het flarden die als spookachtige slingers zich eromheen wentelden. De enkele mensen die zich op het dek waagden genoten van het spel van water en wind. Iris en Pam zaten op een bank op het dek en de anderen zaten in de beschutting van de overkapping. „Niet echt wat ik van Italië verwachtte," grijnsde Pam, „ik vind dit meer iets voor Engeland. Maar evengoed vind ik het spannend." Iris beaamde het en liet zich met de golven meedeinen.

Capri, het bloemeneiland was zeker de moeite waard ook al was het nog niet op zijn mooist. Mathilde sprak even met hun gids dat ze op eigen gelegenheid op verkenning zouden gaan omdat Rosie het te vermoeiend vond steeds achter de groep aan te moeten lopen. Vincentio vond het prima en ze spraken een tijd en plaats af waar ze elkaar weer zouden ontmoeten voor de excursie naar de botanische tuin. Kleine busjes brachten de mensen de berg op en het groepje van Rosie wensten de anderen veel plezier.

Op hun gemak verkenden ze de smalle straatjes en bewonderden het uitzicht over de baai. Rosie had haar stok meegenomen en liep aan de arm van haar zus.

„Wat zijn die twee veranderd hè?" vertederd keken ze naar de zussen die stevig gearmd voor hen uit liepen. Pam vond die verandering nog steeds verbazingwekkend.

Een grote bruine hond volgde hen een stukje en Rosie bleef staan om hem een kaakje te geven. Zacht en lief pakte hij het uit haar handen en keek haar met zijn trouwhartige ogen een ogenblik aan. Rosie kroelde hem zachtjes even achter zijn oren. De hond liep nog een stukje met hen mee en verdween toen in een zijstraatje.

„Wat mij zo opvalt," zei Rosie peinzend, „is dat de honden elke vorm van agressie missen. We hebben er nu al zoveel gezien en ze zijn allemaal even lief en zacht. Evenmin zijn ze graatmager zoals in Spanje."

„Ik denk dat de bevolking ze evengoed voert want ik zag gister een man met in een servetje een paar worstjes die hij aan de honden in de straat gaf," Iris stootte haar zus aan. Een grote zwarte hond was aan het stoeien met een klein bruin-wit hondje. Het kleintje liet zich niet op zijn kop zitten en zette venijnig zijn tandjes in de poot van de grote hond. Pam nam wat foto's van de honden en van het groepje natuurlijk, ze wilde er echt een leuke reportage van maken. Een half uur voor de afgesproken tijd waren ze weer op het plein en besloten ze een kopje koffie te gaan drinken. Iris die later afrekende keek de man even verwezen aan; zevenentwintig euro voor zes kleine kopjes koffie.

Vincentio kwam inmiddels met de groep het plein op en gaf ze de gelegenheid een kop koffie te drinken en van het toilet gebruik te maken. Het was een beetje gemeen maar het groepje van zes gniffelde toen ze het verontwaardigd geblaat hoorde dat de koffie zo schunnig duur was.

Op weg naar de botanische tuin liepen ze heel smalle straatjes door waar de buren elkaar gezellig een glas chianti konden aanreiken zo smal was het. Hoewel ook hier nog niet alles bloeide waren ze toch verrukt van de vele bougainvillestruiken in allerlei kleuren. Enorme cactussen met grote roze knoppen, een grote gele struik met gele wasachtige trompetbloemen, en nog een aantal bloeiende struiken waarvan niemand de naam wist.

„Het valt reuze mee," zei Rosie verheugd, „ik geniet met volle teugen van al het moois en zou er wel wat van mee willen nemen."

Pam stond weer even stil en nam een foto van een zwarte kat die onder een kleurige struik heerlijk lag te slapen. Ook katten waren er in overvloed maar die distantieerden zich van de toeristen en lieten zich af en toe genadig op de foto zetten. Zo ook een lapjeskat met een prachtig getekend kopje. „Kijk Pam wat een schattig smal straatje met al die grillige bomen, ze komen al uit zie je?" Rosies vinger wees in de richting en Pam knikte braaf en knipte af. Even later dook ze met haar hoofd in de bladeren van een dadelpalm om de vruchten erin te fotograferen. Ook hier weer overal de kleurrijke bougainvillestruiken.

Vanaf een plateau hadden ze een schitterend uitzicht over het turkoois getinte water waar op de rotsen beneden hen de golven uiteen sloegen. Een ander uitkijkpunt liet hen een weg tussen de rotsen zien dat leek op een mozaïeklabyrint. Aan alle kanten was wel iets bijzonders te zien en zeer voldaan wandelden ze weer terug naar de plaats waar de busjes hen naar beneden bracht.

De terugtocht met de boot was nog spectaculairder dan de heenweg. Het water sloeg met kracht tegen de boot maar nog net niet over het dek waar Pam en Iris zich staande trachtten te houden. Het was puur fun, straalde Pam.

Na het eten gingen ze vroeg naar hun kamer want vooral Rosie was erg moe. Ze vond het allemaal prachtig, en ze had beslist geen spijt van de reis maar het vergde vrij veel van haar krachten. Marie had haar nog even gemasseerd en met een dankbare zucht van verlichting vleide Rosie zich onder haar dekbed.

Voor de volgende dag stond een excursie naar de dode stad Pompeii op het programma en in de middag zouden ze Napels aandoen.

De nieuwe stad Pompeii zag er ook weer vrij armoedig uit. Vooral de huizenbouw viel hen erg tegen voor zover ze dat hadden gezien tijdens hun reis. Bij het uitstappen zagen ze een kraam waar overvloedig de sinaasappelen en citroenen werden tentoongesteld, het was een fleurig gezicht en dat niet alleen, het water liep je al uit de mond bij het zien van de sappige vruchten.

Ze kochten een kaartje want alleen de mensen boven de vijfenzestig jaar mochten Pompeii gratis bezichtigen. Dat was op zich wel nodig want het onderhoud en de restauratie kostte een vermogen en bovendien had het water een slechte invloed op het gesteente en de muurschilderingen.

„Mariëlle, de gids vertelde dat de stad 2000 jaar geleden in de nacht werd verrast door een uitbarsting van de Vesuvius. De stad werd voor het grootste gedeelte verwoest door de gloeiende asregen en puimsteenwolken die over de stad neerdaalden. Later hoorden ze dat de ramp in de middag op 24 augustus van het jaar 79 na Chr. had plaatsgevonden. Terwijl een aantal jaren ervoor in 62 een grote aardbeving een deel van de stad had verwoest, die daarna ook weer redelijk snel werd opgebouwd. 1600 jaar had de stad onder het lavagesteente verborgen gelegen. Daarna werd er met de afgravingen begonnen. De bovenste laag was maar 20 cm. Er was niets van de mensen over dan een afdruk in de aarde. Daar maakten ze een mal van en bouwden de mensen op van een soort gipsmengsel. Je kon zelfs aan de houding zien op welke manier ze waren gestorven. Triest en boeiend tegelijk.

Bij de entree was de grens tot waar de as was gekomen. Een pad van ongelijke stenen dat aardig omhoog liep bracht hen naar de resten van de stad zelf. Een poosje probeerde het groepje in de buurt van de gids te blijven voor de broodnodige informatie, want niemand wist veel van de gebeurtenissen af.

Toch was er veel moois overgebleven. Zelfs de zussen waren er zo van onder de indruk dat ze hun gewoonlijk luide commentaar op alles achterwegen lieten. De gids wees hen op de restanten van, zoals zij het noemde, de pizzahut en McDonalds. De stenen ovens waarin het brood werd gebakken waren nog intact evenals de mozaïek-toonbanken waarin ronde uitsparingen waren. Eronder was een stookplaats zodat alles warm bleef.

Muurschilderingen vertelden dat ernaast een kamertje was met een stenen bed waar zwangere vrouwen werden onderzocht. Prachtige waterplaatsen en ingenieus aangelegde waterreservoirs, voor die tijd een hoogstandje. Alleen was er geen rioolafvoer en dat alles spoelde door de straten. Ronde stenen als een zebrapad, zorgden ervoor dat je zonder vies te worden de overkant kon bereiken, de karren konden met hun wielen handig tussen de stenen doorrijden. Het was verbazingwekkend hoever men was met allerlei technieken.

Na een uur wilde Rosie een poosje zitten want haar rug en benen deden pijn. Marie nam een paar tabletten uit haar tas en gaf ze Rosie met een flesje water. „Doe maar even rustig aan we houden de groep wel in de gaten."

„Het is allemaal prachtig," verzuchtte Rosie, „maar mijn hemel wat vermoeiend. Je moet constant kijken waar je je voeten neerzet anders val je gegarandeerd op je snuit. Maar ik had het voor geen goud willen missen." Ze keek om naar de Vesuvius die als een ongrijpbaar spook een volgende uitbarsting in petto had en die de omgeving in zijn macht had. Het kon volgens de Vulkaan experts ieder moment gebeuren en dat idee zorgde bij Rosie voor een koude rilling.

„Kom op jongens het gaat wel weer." Ze werd overeind gehesen en nu liep ze aan Mathildes arm mee.

Er was een arme en een rijke buurt en dat was goed te zien aan de restanten van de huizen en drankgelegenheden. Een bordeel was nog redelijk intact en daar mocht men vanwege de vele en kostbare muurschilderingen geen foto's maken. Het was een erotische rondleiding waar men weinig fantasie voor nodig had om te begrijpen wat er zich daar had afgespeeld.

Eindelijk waren ze erdoorheen en wachtte men op elkaar. Een hondenechtpaar liep op een groot grasveld met een paar schattige pups die algauw in de gaten hadden dat er wat te smikkelen viel. De gids verbood het de mensen omdat de honden te veel met de toeristen meeliepen.

Rosie keek haar minachtend aan en bij een hek een stukje verderop probeerde een puppy door het gaas bij haar te komen. Rosie smolt gewoon en ging op het randje zitten om het diertje aan te halen. „Wat een schatje," kirde ze verrukt, „je zou het diertje toch zo in je tas meenemen." Maar helaas ze moest het hondje bij het ouderpaar achterlaten dat alles om hen heen goed in de gaten hield.

Bij het verlaten van het oude Pompeii liepen ze langs een fleurig veld met narcissen wat in schrille tegenstelling stond tot de dode overblijfselen van de stad.

Op de terugweg aten ze een hapje in een restaurant aan de weg en moesten daarna nog een aardig stukje lopen naar de plaats waar de bus stond.

De voorstad van Napels was te verschrikkelijk om aan te zien. Verveloze saaie huizenbouw en wat was het er vuil. Zwervers lagen openbaar overal in en onder, hun schamele bezittingen her en der verspreid. Een wachthokje, opgebouwd uit rotsstenen, was een van de onderkomens en zal wel als riant worden beschouwd omdat aan de punten van de stenen kleren en kapotte handdoeken konden hangen, en er van enige beschutting sprake was.

Napels zelf, en vooral aan de haven waar dure jachten lagen, zag er rijk uit, maar alles eromheen was pure armoe. „Tjonge," liet Truus zich horen, „eerst Napels zien en dan sterven... nou neem de moeite maar niet ermee te wachten want dan hoef je Napels niet te zien."

De momenten dat ze uit de bus mochten om een foto te maken waren ook weinig aanlokkelijk. Nijdig verkondigde Truus dat het rookstops waren en meer niet, ze had ook geen hoge pet op van Mariëlle de gids. Zij moest er ten slotte voor zorgen dat de mensen de gelegenheid kregen op een mooie plek van de omgeving te kunnen genieten.

Bij aankomst in het hotel ging Rosie onmiddellijk naar haar bed. De tocht was eigenlijk te zwaar voor haar geweest. Mathilde was ook bekaf en bleef bij haar. De anderen fristen zich even op en gingen toen Sorrento in waar het opnieuw regende. Paraplu's werden opgezet en je moest je soms in alle bochten wringen om er een ander niet de ogen mee uit te steken. Maar het was absoluut niet koud dus namen ze de regen maar voor lief. Op de terugweg kochten ze wat fruit en flessen water, want het water in het hotel mocht je niet drinken. Ondanks de regen genoten ze van de gezelligheid en de prachtige verlichting. Sorrento was een mooi stadje en ze waren blij dat ze er hun hotel hadden. De mensen van een andere bus zaten in een hotel boven op een rots aan zee. Ze hadden een prachtig uitzicht maar daar hield het ook mee op. Toch was het vreemd dat het iedere avond regende, want de dag in Pompeii was stralend en zonnig geweest.

De paraplu's en jassen werden in de badkamer opgehangen en Iris ging even kijken of haar zus al een beetje was opgeknapt. Daar had ze zich geen zorgen over hoeven maken want die zat heerlijk met een sapje en een puzzelboekje met Mathilde te kletsen.

En zo was de laatste dag aangebroken en maakten ze een tocht langs de Amalfikust. Het was stralend weer en dat alleen al zorgde voor een prima stemming. De gids vertelde dat de chauffeur 1007 haarspeldbochten moest nemen en dat gaf af en toe een nerveuze rilling wanneer de bus een draai maakte waarbij de voorkant lichtelijk naar de afgrond overhelde. Maar de chauffeur verblikte of verbloosde niet en alles ging gelukkig goed. Wel zorgden ook hier weer de Italiaanse automobilisten en scooterrijders voor een aantal hachelijke momenten. Ze duwden maar door en wilden het liefst dat de bus achteruit reed en hen liet passeren.

Het eerste plaatsje voor een fotostop was Positano met het prachtige Mariabeeld dat uitkeek over het water. De huizen, tegen de rotsen aangebouwd, zagen er welvarend uit. En later toen Pam een boek had gekocht over de geschiedenis van de Amalfikust lazen ze dat er zich in het verleden heel wat had afgespeeld, en vooral in Positano.

De vele rotsformaties waren prachtig. Grotten, nissen en af en toe een weggetje erdoorheen met wat schilderachtige huisjes op de achtergrond. In enkele nissen waren in hout uitgesneden kersttaferelen te zien. Als het donker was en de lichtjes brandden zou het een lieflijk gezicht zijn. Ook de vele bloeiende cactussen waren een lust voor het oog, evenals de bougainville die de huizen een weelderig aanzien gaf.

De volgende stop was Furore Conca dei Marini waar een prachtige keramiekwinkel was in de rotsen. Daar kocht Pam het boek en dronken ze er een heerlijk koel glas vers geperst sinaasappelsap. Ook zochten ze wat mooie stukken keramiek uit om cadeau te geven. De laatste stop was in Ravello. Ze stonden met zijn zessen te kijken naar de eilandjes in de verte toen opeens een bruinwitte hond uit het niets verscheen en regelrecht op Rosie afvloog tot verbazing van de omstanders. De hond drukte zich stijf tegen Rosie aan en stopte haar zachte snuit in haar hand. Al die tijd huilde ze zachtjes wat bij Rosie de tranen in haar ogen deed springen. Ze had haar armen om het dier heengeslagen en praatte geruststellend tegen haar en streelde haar teder over haar kopje.

Helaas was de pauze om en moest ze het lieve dier, zeer tegen haar gevoel in, loslaten. Niemand begreep er iets van maar Rosie was danig van streek. De hond was meteen uit het zicht maar in de bus kon Rosie er maar slecht afstand van nemen. Het was een heel aparte ervaring geweest die ze zich haar leven lang zou herinneren. Waarom rende het dier op haar af, en niet op een van de anderen, ze bleef het een wonderbaarlijk moment vinden.

„Als we weer thuis zijn ga ik naar het asiel en haal er een hond op."

„Dat is een lief idee Roos, maar dat zal niet de hond zijn waar je nu je hart aan hebt verpand," zei Truus voor haar doen zachtjes.

„Dat weet ik wel, maar ik vind het een teken om liefde te geven aan een afgewezen hond." En daar was niets tegenin te brengen.

Amalfi stad lag beneden aan de berg en zag er ook weer welvarend uit. Hier hadden ze graag een wat langere stop gehouden omdat er winkels en terrasjes waren, gelegen aan de weg. Alle andere plaatsjes lagen veelal tegen de bergen aan. En de wegen waren griezelig smal op een enkele uitsparing na waar men kon passeren.

Via Salerno, een havenplaats waar veel scheepsbevoorradingen plaatsvonden gingen ze de grote weg op richting Sorrento. Daar zouden ze nog een stadswandeling maken maar daar zag het zestal vanaf. Ze wilden graag met het mooie weer vrij zijn om zelf wat te gaan doen. Ze gingen eerst even naar het hotel om zich wat op te frissen en daarna liepen ze de straat uit, waar vlak voor het centrum een weg was die naar de haven leidde. Ze namen er het pendelbusje naar beneden. Daar zaten ze een paar uur heerlijk op een bankje in de zon naar de bedrijvigheid op het water te kijken. Tegen vier uur staken ze het plein over waar de busjes stonden, en ook daar waren er weer honden die graag aangehaald wilden worden. Rosie had vochtige doekjes in haar tas dus van vieze handen en dergelijke was geen sprake.

„Weet je," zei Rosie over de kop van een bruine lieverd heen, „ze zullen niet omkomen van de honger maar er is wel een groot gebrek aan liefde, want iedereen vind het vies zo'n hond aan te halen."

„Niet iedereen is een dierenliefhebber Roos. Ik ben al blij dat ze te eten krijgen, maar je hebt wel gelijk hoor, ook een dier kan niet zonder liefde." Marie ging ook overstag en haalde een ander trouwhartig kijkend hondje aan.

Een kwartier later zette het busje hen voor het hotel af. Ze besloten hun koffer vast in te pakken, dan konden ze vanavond na het eten nog even het stadje in.

De reis terug naar het Gardameer verliep volgens een andere route. Dat was wel leuk want anders werd de busreis een beetje saai. Hun hotel, Rubino, was in Naco. De kamers waren aardig maar de badkamer onhandig smal.

En het regende al uren. Ze moesten voor het eten naar een hotelletje tweehonderd meter verderop dat van dezelfde eigenaar was. Niet erg leuk als je moe bent en het giet van de regen. Maar ook dat was te overleven en om tien uur waren ze terug in het hotel waar ze een douche namen en vroeg gingen slapen. Ze hadden uiteindelijk weer een rit van een dikke 1000 kilometer voor de boeg. Tegen middernacht kwamen ze aan op de plaats van bestemming en werden afgehaald door Bruno en Peter, die het groepje min of meer in één omhelzing sloot. Tijdens de rit naar Rosies huis werd er in de twee wagens aardig op los gekakeld tot vermaak van de chauffeurs.

De mannen zetten de bagage in de kamer en beloofden morgen tegen twaalf uur met de familie voltallig aanwezig te zijn om de belevenissen aan te horen.

Pam en Iris verdwenen met de bagage naar de andere kant en de rest kon bij Rosie worden ondergebracht. En al heel snel waren alle lichten gedoofd in beide huizen.

Om twaalf uur de volgende dag was iedereen present, op de kinderen na.

Tijdens de koffie met gebak barstten de verhalen los en werden de cadeaus overhandigd. Bruno keek eens naar zijn zussen. Ze zagen er meer dan tevreden uit, de reis had hen goedgedaan. Hij vond het een heel goed plan om één keer per jaar er met zijn zessen opuit te gaan.

Het ongeluk van Roos had ervoor gezorgd dat de familie werd herenigd, en zo was het uiteindelijk een geluk bij een ongeluk geweest, peinsde Bruno.

Peter zat met zijn arm om Iris heen, hij had haar gemist en dat fluisterde hij haar in het oor. Iris keek bij die woorden heel lief opzij en gaf hem snel een kus. Een ongekend sterk gevoel van liefde welde in haar op. „Kunnen we er straks even tussenuit?" vroeg Peter, „ik wil graag je mening horen over een plannetje wat ik heb bedacht."

„Natuurlijk lieverd, ik ben heel benieuwd naar wat je me te vertellen hebt."

„Hé niet smiespelen in gezelschap," schalde Truus vrolijk, „straks mag je wel even minnekozen maar ik geloof dat Bruno even je aandacht wil."

Bruno schraapte aanstellerig zijn keel en gaf zijn vrouw stiekem een ondeugende knipoog. „Luister zusjes, ik heb van de week een lang gesprek met pap en mam gehad en met elkaar hebben we een plannetje gesmeed."

„Alweer een plannetje, spannend hoor!" viel Iris haar broer in de rede.

„Mond dicht, ik ben aan het woord," berispte Bruno zijn zus, „het plan is dat onze ouders graag met ons kinderen een cruise naar Scandinavië willen gaan maken eind juni. Zoals papa zei; wat het verleden aangaat is er geen weg terug, dat weten we allemaal, het is gegaan zoals het is gegaan. Maar gelukkig kunnen we nu nog genieten van elkaar en we zouden het heerlijk vinden om nog eenmaal een reis te maken als gezin. Dat waren de woorden van pa en mam knikte braaf bij ieder woord. Nou zusjes wat vinden jullie van het plan?"

Een luid gesnotter diende als antwoord. Iris was naast Rosie gaan zitten en met de armen om elkaar heen probeerden ze hun ontroering de baas te worden.

„Tja, als jullie niet willen en het plan om te huilen vinden..." grapte Bruno die het toch ook even te kwaad kreeg, „maar ik neem aan dat de reis doorgaat."

Nu kreeg ook Bruno een deel van de omhelzing. Brigit streelde enkele ruggen en ging toen maar met Mathilde naar de keuken om de lunch voor te bereiden. Truus en Marie staken ook een helpende hand toe.

In de kamer werd er enthousiast verder gepraat over het plan van de ouders, en Bruno gaf zijn zussen alvast wat folders mee. Zo konden ze al een beetje voorgenieten, als ze zover waren dat de herinnering aan de afgelopen reis wat ging vervagen.

Na de gezellige lunch gingen Iris en Peter even naar de andere kant. Voor het avondeten zou niemand moeite hoeven doen want ze hadden besloten chinees te halen. Bruno zou de kinderen ophalen en Pieta zou met Niels komen. Het werd een gezellige happening.

Maar eerst was er nog het plan van Peter.

Ze zaten heerlijk knus tegen elkaar aan op de bank en van praten kwam er de eerste minuten niets terecht.

„Lieverd," klonk het zacht tegen haar lippen, „ik wil je nu mijn plannetje voorleggen, is dat goed?"

Iris knikte en kroop weg in zijn armen.

„Ik heb in jullie vakantie lang gepraat met Bruno en Brigit en ook met Pieta. Ik ben me ervan bewust geworden dat ik af en toe met oogkleppen voor heb gelopen wat jou betreft.

Om kort te gaan, als je wilt kunnen we werk maken van een ander huis, een huis dat we samen met Niels kiezen. Ik begrijp nu pas goed dat je in het huidige huis niet kan aarden ondanks dat ik er niet met Ankie heb gewoond. Ik weet nu ook dat jij Ankie haar plaatsje gunt zowel bij mij als bij Niels. Ik wil dan ook dat jij zelf beslist wat er van de meubels en snuisterijen naar het nieuwe huis meegaat en wat niet. Je krijgt daar echt de vrije hand in en dat meen ik oprecht. We kunnen van de week vast op internet kijken en wat makelaars afgaan. Maar als je er nog een poosje mee wilt wachten is het ook goed."

„Nee schat," Iris kuste hem innig, „toen ik uit de bus stapte en jou zag staan wist ik dat ik bij je wilde zijn, voorgoed bedoel ik. Ik houd zielsveel van je en ik ben heel gelukkig dat ik nog zo'n mooie kans krijg. Ik houd ook van Niels en ik wil hem laten opgroeien met een goed beeld van zijn moeder. Praat er met hem over wanneer je wilt en ook met mij. Ik weet dat je op een andere manier van mij houdt dan van Ankie en of dat meer of minder is doet er niet toe."

„Stt lieverd, onthoud dat het absoluut niet minder is, maar zoals Brigit zei; in liefde en houden van is het altijd anders, je kunt het niet meten of wegen, het is er gewoon." Peter nam haar gezicht tussen zijn handen en een ogenblik keken ze elkaar in de ogen met een gevoel van diepe liefde voor elkaar, en het besef bij elkaar te willen blijven zolang het leven hen dat gunde. Het was een zeldzaam plechtig moment en dat bewaarden ze diep in hun hart.

De gezellige avond was een waardig besluit van de vakantie van het zestal. Niels rende bij binnenkomst direct naar Iris die hem in haar armen sloot. Iedereen was het er over eens dat de vakantie een nieuw en veelbelovend begin was voor allemaal. Liefde en vriendschap zouden een grote rol spelen in de toekomst waar ook Truus en Marie deel van zouden uitmaken. Mathilde zou in het huis van Iris trekken zodra die samen met Peter en Niels haar bestemming had gevonden.

Ook Pieta was gelukkig nu ze haar eigen leven weer kon oppakken, en ook zij bleef deel uitmaken van de familie.

Dan was er nog Bart die 's avonds van de partij was. Hij en Rosie werden, zoals dat zo vaak werd gezegd, vrienden voor het leven. Maar het middelpunt van de familie bleven de ouders, Harry en Emmie.

En ook al zou de toekomst niet alleen vreugde en geluk brengen, ze waren bestand tegen moeilijkheden en problemen. Rosie en Iris waren allebei door een diep dal gegaan maar ze waren er sterker dan ooit uitgekomen.

Een paar dagen na hun thuiskomst gingen Rosie en Iris naar het asiel om er een hond te halen. Een bruine, en niet meer zo'n jonge, lieve lobbes kwam naar de tralies toe en keek Rosie alleen maar aan. Ze was meteen verkocht, dat mag duidelijk zijn. De hond droeg de naam Tommie, maar het was een vrouwtje. En alleen de ogen van de hond deden haar denken aan de hond aan de Amalfikust, maar dat was voor Rosie genoeg.